中国三行 、金员集

CHINESE THREE-LINE POETRY
AND
THEIR CRITIQUES

主编: 焦海丽 / Editor: Jiao Haili

副主编: 李莉 / Ass. Editor: Lily Li

CHICAGO ACADEMIC PRESS

Chinese Three-Line Poetry and Their Critiques
Language: Chinese
Editor: Jiao Haili
Assistant Editor: Lily Li
Publisher: Chicago Academic Press, November 10, 2023
ISBN 979-8-8689-7400-7

书　名　中国三行诗鉴赏集

语　言　中文

主　编　焦海丽

副主编　李　莉

出版社　芝加哥学术出版社　2023 年 11 月 10 日

书　号　979-8-8689-7400-7

Publishing　Chicago Academic Press
　　　　　　Chicago Illinois
E-mail　　　contact@chicagoacademicpress.com
Website　　http://chicagoacademicpress.com/

Book Size　6X9 inches
First Edition November 10, 2023

目　录

前 言

　　本书取名为《中国三行诗鉴赏集》。中国三行诗，从外在形式看，由三行组成，每行字数没有规定，但整首诗一般不超过三十个字。当然，如有必要，稍微超出一些也未尝不可。从内在结构看，三行诗重在言外之意。所谓言外之意，是指三十来字的小诗不能仅仅只表达三十来字的含义，它的容量一定要超出三十来字的范围，要使读者能够领会到诗外的东西，或者是哲理，或者是意境，或者是诗意等等。三行诗表现力极强，从本书所收录的这些作品，你可以看出，三行诗具有极强的表现力，几乎可以用来自如地表现各种创作意图，如立意、造境、营势、渲染、写意、描景、拼图、言趣、说心等等。

　　本书的编纂，旨在为广大的三行诗诗人与评论人提供一个发表与展现他们作品的平台；向广大的三行诗爱好者提供一个比较全面的、多维度；立体的文学体验，通过诗的鉴赏文章，向广大的三行诗初学者提供一个解析诗的过程，以帮助他们提高对于三行诗的鉴赏力。

　　本书荟集了近五十位诗人的近141首三行诗作品和评论人的评论。这些三行诗作品，题材广泛、主题深刻，技巧多样，用简练的语言、独特的观察力，将复杂多变的人生和情感凝结成了三行的艺术精华。很多评论人的评论，都写得中肯到位，精彩纷呈，从各种角度为这些作品提供了深入浅出的解读，使读者能够更好地理解诗歌背后的文化内涵。阅读本书，有助于开阔你的三行诗视野，提高你对三行诗的鉴赏力，分析力，和审美趣味。这不仅仅是一部三行诗鉴赏集，更是一次深入探索中国三行诗的旅程。

愿您在阅读《中国三行诗鉴赏集》的过程中，感受到文字的魅力，领略到三行诗诗人的艺术风采，以及评论人的精彩评论。

焦海里、李莉

2023 年 10 月 28 日

徐英才作品一

路

父亲走过的路
都粗犷地深刻在他的额上
不愿遗传给我们

天涯鉴赏

诗小意丰、微尘大千

关于"父亲"题材的三行诗，可以说好写也不好写。说它好写，因为可以用它挖掘各种主题，可以刻画父亲的坚毅、辛劳、责任等等，也可以描写父亲的温润、敦厚、慈祥等等；说它不好写，因为大家都写它，就很容易流于雷同。而徐先生的这首三行诗，却独辟蹊径，从一个特殊的视角，采用一系列修辞手法，把父亲的整个人生凝练在短短二十五个字里。可谓诗小意丰、微尘大千。

这首诗，在创作中利用通感的修辞效果，采用意象转换、递进、叠加的创作手法，把父亲的整个沧桑人生以及他对后代的关爱描写得淋漓至尽。

作品首先把父亲艰苦辛劳的一生压缩在一个"路"字上，然后把这个象征父亲整个人生的"路"的意象转换并递进成他额上粗犷的皱纹，然后又把这个象征父亲沧桑人生的"皱纹"转换并递进成不愿遗传给后代的基因，以此来表达父亲为了孩子辛勤劳作了一辈子的思想内容。至此，我们不难看出，这个利用通感的修辞效果，采用层层转换、递进、叠加意象的创作手法，成功地刻画了一位饱经风霜、年事已高、对子女倍加关爱的父亲形象。

我们常说，小说见长于人物形象的刻画与塑造，而徐先生的这首短短二十五个字的三行诗在人物形象的刻画与塑造上，一点也不逊色于小说。

犁

父亲的背
哪一朵泥花
不是弓着身开出

天涯鉴赏

物人混成、形象生动

　　我们在写"犁"或者"耙"之类的题材时，往往会通过对这些物品的直接描写来阐述这些器具对农作物的重要性；或者通过对这些物品的直接描写来间接喻人的劳作耕耘精神；或者通过对这些物品的描写来联想父辈的辛苦付出等等。而徐先生的这首作品却直接把"犁"化作父亲的"背"，使作品乍看仿佛是在写物实质是在写人，从而提高了作品的高度与深度。

　　作品开篇即用一个暗喻接着标题把"犁"比作"父亲的背"，从而使物人浑成一体，使"犁"的弯度、硬度这些生动形象以及优良的品质深嵌人体，合二为一。正因为这个浑然融合，接下来的反问"哪一朵泥花/不是弓着身开出"就既是在说物也是在说人，使父亲像"犁"那样任劳任怨、勤于劳作的形象、弓身精神跃然纸上，闪闪发光。

　　这首《犁》，可谓语言凝练、跳跃、含蓄，深刻。所有这一切，都源自于物人浑合的创作技法。这个技法，为读者留下了广阔的思考空间。

徐英才作品三

老农

一把锄头
硬是把太阳从东边拽到西边
然后掮着月牙下山

玩转时空

这首诗，文字简朴但又极其生动、极具张力，读后，一位老农起早摸黑、辛勤劳作的意境萦绕脑际，挥之不去。简单朴实的语言能如此似虎生风、诗意盎然，这跟诗人所用的一系列创作技巧不无关系。这些技巧包括空间的压缩、时间的拉长，以及移就和夸张。

移就，就是在特殊的语境中改变词语的搭配关系，这种临时迁就好像不合情理，但在具体语境中，却能赋予一个词语以新的意义，读来合情合理。这首诗里老农用锄头拽太阳搞月亮采用的就是这种手法。此外，诗人还运用了空间压缩和时间拉长的手法，抽除了锄头与太阳之间以及锄头与月亮之间的空间，夸张地移用锄头来拽太阳搞月亮，仿佛太阳一早从东边升起到旁晚从西边落下是这位老农用锄头拽动的，仿佛入夜升起的月亮是老农挑起的灯笼。这里的时间被一个"硬"字和一个"拽"字延长了。因为这个"硬"和"拽"，这位老农的辛苦劳作，就一目了然，栩栩如生。

这些修辞手法，使作品的语言具有双重饱和力，使我们在有限的文字里读到了双倍的含义。如果说唐宋八大家首座韩愈用朴素的语言批判了华而不实的骈文，那么这首三行诗则证明，朴素的语言同样能够写出优美且极具张力的三行诗。

村妇

楼窗后
夜夜叹月远
今夜雪霁　又怨月太近

天涯鉴赏

　　这首表面纤细恬静的三行诗，藏匿着一个凄婉的大千世界、暗涌着惊心的波涛骇浪。它短短十七个字，塑造了一个天地人三位一体的立体画面，营造了一位村妇望月而不得的凄婉意境，刻画了一个留守妇女思念丈夫的微妙心理变化，揭示了一个似是而非但十分合理的主题思想。

　　起句"楼窗后/夜夜叹月远"暗示，这是某人从楼下观察到的场景。这位观察者是谁并不重要，重要的是，他为我们的诗境支起一个地面上的观察者——楼窗后的村妇——遥远的月亮这个三位一体的立体画面，为营造一个立体意境打下了基础。这个村妇"夜夜叹月远"。她为何夜夜站在窗后，凝望远方的月亮，不时地叹着气？是因为"玉勒雕鞍游冶处，楼高不见章台路"，花心男在外面沾花惹草，夜夜不归；还是因为担当男远在他乡打工挣钱，养家糊口，这些都无关紧要。重要的是，月亮象征着团圆，而它却遥不可及。她不叹气又怎生奈何？！好在今夜雪霁，放眼一片皑皑白雪，月亮显得那么硕大、皎洁、靠近。夜夜望月而不得，现在月亮靠近了，本该是好事，可她却"又怨月太近"！为何？因为象征她丈夫和团圆的月亮那么美好，但在空中触手不及，反而更加加重了她的思念之情，她怎能不怨恨那月亮？！她初而叹月远，后又怨月近，乍看确实有些似是而非，但因为无论月远还是月近，那只是她的寄托。寄托毕竟是寄托，那遥不可及的丈夫永远是她的心病。所以这看似不合情理实际却合情合理。

　　三行诗短小，寥寥数字很难着力心理刻画，而《村妇》这首短短十七字的三行诗，却生动、准确、细致地描写了一位村妇的心理变化。

空椅子

路灯几度点亮
它仍在等待
那些醉人的蜜语

天涯鉴赏

　　一首触景生情、借景抒情、且极具张力之作。该作品巧妙地捕捉了一个容易被忽视的瞬间，把眼前的景和心中的情进行有机结合，让读者感受到生活的真实和隐藏心头蓄之已久的情思。首句"几度点亮"以一种无奈的语气，强调了时日已过之多，以路灯的次数烘托出椅子空着的时间之久。中尾句把主观情感"仍旧等待/那些醉人的甜言蜜语"融入到客观物象"空椅子"，形成了一个物我合一的统一体。侧面道出了心中的执着与渴望。同时留白，不告诉读者发生了什么事，这段留白可谓蕴藉至深，你从中或许会推测许许多多联想，比如

　　1.曾经光顾这椅子的一定是一对恋人，不然为什么是"醉人的蜜语"？

　　2.他们一定经常来这里缠绵缱绻，如果他/她们不是经常来，椅子为什么会等？

　　3.那他/她们这些天为什么不来了呢？是感情破裂了，还是病了，还是怎么的？

　　4.不管怎样，他/她们一起坐在椅子上缠绵缱绻那种情景一定是非常温馨、非常感人的，要不为什么连椅子都还在等呢？

　　5.等等。

　　艾伦．泰特曾经说过"张力是诗歌的生命"。三行诗贵在张力，一首没有张力的三行诗，是一首没有生命的作品。

天端作品一

脚印

轮子、雪橇、飞镖……
它们都画出实线
而你走得那么辛苦，只留虚线

金刚鉴赏

　　读天端老师的微诗，总让我想起草创时期的中国新诗，非指不成熟，而是新诗萌芽时的纯然与真实。中国是诗歌的国度，由"诗言志"及始便浩浩汤汤，星河灿烂。政教与缘情、言志与载道相行不悖，一部诗史其实就是一部中国的文化史。只是在"诗必秦汉，文必盛唐"的概念史演进中，我们逐渐淡化诗歌作为诗歌本来的韵味，所谓人的情感与感触。在洪荒的断裂与谨慎的缝合中，新诗最为重要的展示便是恢复诗歌作为人精神表达的要义，诸如俞平伯、冯至、李金发等等。天端的微诗诗歌语言极为精炼，及远处看似几捡枯枝所搭，及近了看才见情与韧。轮子、雪橇、飞镖的轨迹皆为连续线条，而人的脚印则为断续点阵，这在雪地、泥泽中尤为明显。 实写的"脚印"，作为世间之"物"呈现，但又不仅于"物"——人存一世，功过是非为实线，"是非成败转头空"则为虚线。这里诗人给我们留下了一个巨大的"喟叹"，诗情与人生的态度汲汲可见。篇幅虽小，语言虽简，但短诗却并不好写。"小"决定了语义密度，"简"意味着情感洗练，诗人天端很好地处理了诗歌结构与情思，呈现出恰适的节奏，恢复了诗歌中情思的比重。——也正是在此意义上，天端的诗歌和"五四"新诗展现出某些内在关联。

天端作品二

帽子

最高的地位无疑属于你
而你更愿意谦卑地下来，把位置
让给敬意

卢风鉴赏

最高的地位无疑属于你，而你更愿意谦卑地下来，把位置让给敬意。读天端《帽子》一诗，耳目一新：帽子，还可这样定义！生动形象，又意蕴无穷。

据说，西方冷兵器时代，士兵打仗要戴上沉重头盔，与人致意时卸下，表示没有敌意，相信对方。久而久之，就有了脱帽致敬的礼仪且风靡世界。

让帽子"谦卑地下来"，自然怀着极大的敬畏之心。假如人人都有敬畏之心，做事有底线，人生有信仰，这个世界会减少许多傲慢与戾气。一个相互尊重、文明理性、绅士礼貌的社会，断会避讳战争与内斗，无需"斗争"和"亮剑"。有些自以为高高在上者，乐于分发各类"帽子"给别人，决不想帽子比自己高，有损其"最高地位"；又喜欢别人给自己戴高帽子，吹捧得不知天高地厚。此等做派，均无谦卑可言。我想起泰戈尔的一首诗："上帝，一手挎花篮，一手持宝剑。"举头三尺有神明，人无敬畏自作死。从这一角度看，诗人写的是常识，是情怀，也是期盼与忠告。

人之卑微，概因天高。帽子"下来"，并非无立足之地。"为天地立心，为生民立命"，此乃令人尊敬之处，这首小诗说明了，赢得敬意的，不是地位，能上能下者，更赢世人尊重。

如此微诗，言近意远，可谓奇思妙想，缩龙成寸，看似毫不费力，实则甘苦自知。在惊叹诗人的慧心妙手之时，更钦佩诗人正直、热诚以及当仁不让的社会担当。

美国自由女神像

做女人不易
做全世界向往的女人谈何容易？
我注意到了她的脚，未被缠过

刘虹鉴赏

　　这是一首从女人起笔的小诗，褒赞的是可自由行动，拒绝裹脚；能独立思考，拒绝束脑，进而成为高贵的令人向往的女人——高挺曼妙飒爽的身姿，高擎点亮黑暗的火炬，高扬追求自由的旗帜。当她为迎纳所有逃离灾劫和压迫、向往自由的苦难者敞开母性的怀抱，她便升华为一种启示，一种召唤，一种实现梦想的可能，成为人类诗与远方的 logo，成为神谕般的人文符号。终于，她成为了歌德《浮士德》中所歌颂的"引领我们飞升"的"永恒的女性"，成为——神！

　　至此，该诗已将人的神性一面——自由意志，突出地揭示出来；但作者不限于此，而是接着将茫茫大海上女神兀立的广角镜忽地拉成微距，形成聚焦点——脚！漫不经心的一个转折："我注意到她的脚……"，即刻将诗歌切入点的"女人"和描述客体的"女神像"，蓦地一转笔锋，直抵思想文化批判的高度：

　　"……未被缠过"。

　　这个转折含蓄不动声色，却使批判的锋芒深刻犀利又棉里藏针，引人联想和深思：聚焦于脚，当然是因为这个器官与空间的挪移相关，与时间的过往相关，更与人的身心自由密切相关——有自主行走的双脚，没有户口捆绑，没有电子镣铐等等强加之物，乃为人实现自由的前提。　全诗短短30个字，却底蕴深厚内涵博大，乃是一首关于人成其为"人"的深刻之诗。

陶埙

捧着你，就像捧一坯故土
每一个气孔
都按捺不住方言

以琳鉴赏

天端老师微诗颇具功力，可谓抓住了"微"之本质。一如中国传统格律诗中的五绝，字数最少，但创作难度最大。因其少则须精，语言精，诗意精，诗境精，逻辑性亦精，故须于起承转合中找准一立得住、站得稳、宕得开、拓得宽的点，一针见血直达其性，做到起以兴、承而顺、转见峭、合得宽。

埙是汉族特有的闭口吹奏乐器，也是最古老的吹奏乐器之一，浙江余姚县河姆渡遗址出土的椭圆形陶埙有七千年历史，陕西西安半坡村仰韶文化遗址出土的橄榄形陶哨，有六千年历史。埙的音色朴拙抱素，《旧唐书·音乐志》云："埙，立秋之音……"。埙无疑是中华文化一个典型的质朴元素。

第一字"捧"就抓住了埙很独特的吹奏姿态：手型自然成为"心"型置于胸前。兴发支点一字得之！而其喻"如捧故土"，既蕴含材质属性，亦蕴含本土属性，一语双关处拓境之意自然流出。

前述两处出土的原始埙均无音孔，只有一个吹孔，一"气"字，似已为后面的转合埋下了伏笔。原始埙音色单调，只得一音，亦如其起源，只是古人狩猎工具石流星兜风而发之音。然发展到今天，埙的音色已非常丰富，然天端老师只抓最本质之音："方言"，且赋以"按捺不住"，自然而流畅地带出了人类思乡的永恒主题。可谓转在意料中，陡在跌宕处，合于心胸间，如闻秋声而体红尘况味矣。待品之韵悠境长，读者自可体味。

天端作品五

笛子

苏堤，横在唇边
我是湖背上那牧童晚归
一吹起故乡，薄薄的雾膜在桥孔振颤

吕梦醒鉴赏

在《樱桃的滋味:阿巴斯谈电影》中有这样一段话:"我想帮助你们在平淡中找到美。我想帮助你们重新观看并超越你们看待事物的传统方式。"诗人天端的微诗《笛子》显然有着此类的追求,短短三行,匠心而又多维。

作为一名海外诗人,去国怀乡的感慨通常是难免的。钱钟书先生在《说"回家"》中谈到:"回是历程,家是对象。"回,当然包括情感上对故乡的一种追想和皈依。古往今来,思乡主题总是心理攸同。这首《笛子》,超级精短,结合诗人的人生历程,这样的作品是一种成熟的上岸。故乡要写的风物太多,这里只写了苏堤,一种代表性的点化记忆。"苏堤,横在嘴边",这种朴实的诗句,其实更本质。苏堤和笛子大致形似,暗喻起句,情感的跳动开始拨动共情的心跳。"我是湖背上那牧童晚归",作者向我们熨帖了一幅美丽而富有质感弹性的回忆空间,继续着情感通幽的行文之路。小小场景,犹似空谷足音,承载着一种节制精确的聚合式表达。"一吹起故乡,薄薄的雾膜在桥孔振颤",用精致的相关推动着因思乡而颤动的心,情感的张力达到最大阈值。

作为一首三行诗,写不好就容易落入干巴教化的窠臼,而《笛子》这首诗无疑是非常成功的。大抵精于短诗的作者,往往具有超强的"删繁就简"能力。这首诗在关联性方面,很好地运用了隐喻、相关,富有节奏的跳跃,诗歌彻底摆脱了那种普泛的频繁使用中早已钝化的程式化,带有异质化的效果,因而诗歌具有能"创造出再听的需要"(瓦雷里语)的魔力!

蒋雯作品一

剧

页页日历
放映着
喜怒哀乐

秋林鉴赏

　　秋林点评：这首诗歌《剧》通过日历的形象，将人生比喻为一部戏剧，生活中的各种情感和经历则如同剧中的喜怒哀乐一般展现在我们面前。这种比喻形象生动，让人不禁思考人生的意义和价值，以及人们在其中所扮演的角色和承担的责任。

　　诗歌中的"页页日历放映着"也传达了时间的流逝和生命的短暂，每一页日历都承载着我们人生的一个片段，而这些片段组成了生命和人生的故事。

　　这首诗歌把日历和戏剧巧妙地结合在一起，表达出了对生命和时间的思考和感悟，让人不禁深思感叹。

蒋雯作品二

钓

一杆余晖
打捞起一世苍茫
时间成灰

秋林鉴赏

蒋雯老师的这首诗中"一杆余晖"生动地描绘了钓鱼时的景象，这个画面既美丽又深刻。余晖代表着一天的结束，而钓竿则代表着人生中的一段时光。通过这个比喻，诗人想要表达出时间的流逝和珍贵。

"打捞起一世苍茫"这句话，可以理解为钓鱼带给人们的思考和反思。诗人通过"一世苍茫"来形容人生的漫长和辽阔，而"打捞"则代表着钓鱼的行为，两者相结合，带给人们的思考和反思。

"时间成灰"这句话则表现出时间的无情和珍贵。时间像一粒粒的灰尘，一点一滴地流逝，不可挽回。

这首三行诗通过钓鱼的意象，表达出了时间的流逝和珍贵，意寓着人生的漫长过程，诗人通过简洁而深刻的语言，抒发了对生命的感悟和对时间的思考。

蒋雯作品三

春心

春风无有倦怠
一遍遍唤醒着明月，和
柳下的呢喃

秋林

　　《春心》这首诗意境幽渺，诗人通过春风、明月、柳枝等春天的元素，抒发了自己对春天的热爱和对生命的热情。诗歌用词简洁，行文流畅，给人留下了深刻的印象。

　　诗中的"春风"被形容为"无有倦怠"，它不停地吹拂，给大地带来了新的生机和活力。而"明月"则被唤醒了多次，这让我们感受到春天的美好并不止于白昼，夜晚同样也是充满生机的。

　　诗人将"柳下的呢喃"描绘出来，这让人联想到春天的景象，柳枝柔软，轻轻摇曳，似乎在耳边低语。这一画面让人感受到春天的静谧与温馨。
这首诗以恬淡的语言，展现了春天的美好与生机，使人感受到生命的力量与美好，给人以启示和感悟。

蒋雯作品四

守望

柳的风姿
摇摆出我对你的
想念

秋林鉴赏

　　这首诗语言简练生动，意境清新自然。作者借助柳树之姿，表达了对思念之人的深深思念之情，柳的风姿像在守候等待，又像是在张望呼唤。同时描绘了柳树摇曳的优美风姿，让读者在阅读中也能够感受到作者的情感共鸣。虽然只有三行，但却让人印象深刻，体现了极简风格诗歌的独特魅力。

　　这种极简风格的诗歌，需要借助精练的语言和凝练的意境来表达作者的情感和思想，给读者留下深刻的印象。同时，也需要读者在阅读时用心去感受和理解作者想要表达的意思，从而更好地领略诗歌之美。

蒋雯作品五

母亲

一种身姿和一个代名词
足以让万物羞愧
喷涌而出的温暖，感动天地

秋林鉴赏

这首《母亲》的诗歌简洁有力，表达出母亲的伟大与温暖，让人感到深深的敬意和感动。诗中使用的"一种身姿和一个代名词"形象地表达了母亲在我们心目中的地位，她的存在不仅是个人，更是一种伟大形象和价值观念的代表。

诗歌中的"喷涌而出的温暖，感动天地"代表母亲那无私的爱和温情，不仅照顾和呵护自己的孩子，也给周围的人带来了温暖和希望。这种温暖和感动之情在读者心中留下深刻的印象，也让人感到了母亲和爱的同样意义。

这首诗歌虽然简短，但是表达出的情感深刻而感人，让看到母亲和感天动地的伟大的爱。

冷慰怀作品一

婚戒

环形赛道上
誓言与忠诚竞跑
胜负难料

王立世鉴赏

把婚戒比作环形赛道可以说前无古人，想象力与及物性二者兼具。赛什么呢？是这首诗的焦点。"誓言与忠诚竞跑"，虚实结合，动静对比，无声反衬有声，营造出辽阔的审美空间。诗人又一次刷新了我们的思维。誓言与忠诚竞跑的结果有三种情形，誓言超越忠诚，说得比做得好。誓言落后忠诚，做得比说得好。誓言等于忠诚，说得和做得一样好。"胜负难料"也就水到渠成。婚戒是信物，但也有言而无信、背信弃义的时候，在市场经济时代，爱情存在变色变质变味的异化现象，诗人的"胜负难料"，既是期许，也有担忧，是对世风的轻轻点拨。这首三行诗开头平地起惊雷，中间像一场马拉松，结尾却没有结果，松紧、收放自如，布局得当有序，结构完整，情感充沛，思想深邃。三行诗，因为诗体的微小，在精炼的要求上特别高，不能有多余的字，多余的词，多余的句子，不能拖沓，信口开河，语言上必须节俭，情感上必须节制，诗体上还要求完美无缺，内容上还必须紧密联系。开头要起好，避免平淡，结尾要结好，避免写成总结，内容要精彩，避免凌空蹈高，三者之间有机结合，形成有血有肉的意象，是三行诗这种艺术形式的内在要求。

冷慰怀作品二

书签

躺在经典里

走马观花

自诩资深学者

王立世鉴赏

　　书签是一个隐喻，隐喻那些钻在象牙塔里自以为是的学究，表面上博览群书，实际上徒有虚名。与其说资深，不如说肤浅，缺乏真知灼见。15个字，有5个动词，4个名词，1个形容词。三行诗如果滥用形容词，表面上热闹，结果必然是浮躁的、平庸的、失败的。成熟的诗人擅长用动词和名词写作，三行诗更是如此。《书签》在词语的锤炼上像古典诗词一样，有一字千钧的重量，动词传神，名词精准，形容词切合性格，在矛盾中表演得淋漓尽致。这是一首意象诗，其意象来自日常生活，但灌注着自己独特的情感与见解，获得不同寻常的反讽意味。同样的生活，平庸的诗人习惯于记流水帐，敏锐的诗人总会从平凡中发现不平凡，找到一个点去突破，去表达对生活的深刻感悟。

冷慰怀作品三

鸟笼

羽毛入库
天空
被安逸阉割

王立世鉴赏

　　羽毛借代鸟，突出有翅难展，被笼子束缚的痛苦。笼子比为库，暗示鸟还有飞出笼子的希望，天空只是暂时少了飞翔的美景。诗人说天空"被安逸阉割"，具有突兀之美。"阉割"使天空破碎，让人感到疼痛和失望。这里的"安逸"是对自由的侮辱。以人的自由牺牲鸟的自由，用自由反衬不自由，安逸变得沉重，变得有罪。这样的鸟笼应当砸烂，让鸟回归浩瀚的天空。诗人对自然万物的体悟不是蜻蜓点水，而是与人类的精神巧妙地融合于一体，使自然有了灵性和思想。

冷慰怀作品四

圆规

看似瘦骨嶙峋
两条长腿
划圈占地最在行

王立世鉴赏

　　圆规"划圈"是为了"占地"，赋予一个器物以强烈的主观情感，圆规成了贪婪者象征。诗人告诫世人不要被它"瘦骨嶙峋"的表象迷惑，认清它的野心和本质。"最在行"，贪婪成了一门专业，充满辛辣的嘲讽。物诗首先要精准，否则升华失去根基，境界难出。这首诗抓住了圆规的特征，巧妙地联想到一些社会现象，赋予物丰富的内涵，思想上颠覆了传统的认知。诗歌的创新绝不是玩文字游戏，用文字的拆解组合制造迷雾欺骗读者，而必须写出别人眼中所有笔下所无的东西，眼中所有解决诗歌的来源问题，笔下所无就是对创新能力的考验。诗坛上那些玩文字游戏的诗人缺乏生活底蕴，缺乏洞见生活的智慧，这类诗人在三行诗领域更显现出其笨拙、无能和腐朽。

冷慰怀作品五

妒忌

怨恨的私生子
父亲
无颜现身

王立世鉴赏

把妒忌比作"怨恨的私生子",从根源上看,妒忌流着怨恨的血液。从法理上看,见不得阳光。从生存环境看,难免尴尬。诗人形象地告诉我们,不要让妒忌这样的私生子在人间繁衍,即使怀上这样的鬼胎,也要乘早打掉。诗人是一个比喻的高手,如果真像有些诗人讲的"去修辞",三行诗不知变成什么样子。三行诗因为短小,如果平铺直叙,就味同嚼蜡。修辞能使三行诗迸发情感火花,提升思想高度,可以说修辞在三行诗的创作中功不可没。

项美静作品一

静

小草在松软的雪被下舒展着身躯
屏息，怕我的呼吸声惊动了她的梦
抬头，天大一张纸，浮云行书

周粲鉴赏

天大一张纸——读项美静的小诗《静》

在菲律宾名诗人和权编的"海阔天空"里，我读了其中项美静写的一首小诗《静》。读后，我留下很深的印象，并觉得应该写几行字，把看到想到的说出来。

每周出现在联合日报上的这版诗刊最大的特色是版位小，能容纳的诗不多，所以发表的诗清一色是十行左右的小诗。和权本身是擅长写小诗的，在这块小小园地出现的作者，经常也是喜欢写小诗的诗人，如蜚声海内外的非马，项美静也是其中的一位。

小诗的主角是小草。诗人把小草人性化了，也美化了，以达到刻划"静"的目的；然后延伸到天空中的浮云。浮云在天空中飘动，当然也悄无声息。

整首诗，我最欣赏的，是"天大一张纸"这几个字。这几个字，化开来，其实是：天空像一张好大好大的纸。是显喻，也是隐喻。诗人在引用比喻的巧妙处，一言以蔽之，是"不动声色"。这张纸的用途是什么？答案是：写字。谁在写字？浮云。采用的是哪一种书法？行书。为什么是行书？原因很明显，只有行书（或草书）才和浮云的姿态相似。

总的来说：诗人写这首诗，本事是用字精简到了极点，堪称惜墨如金，值得点赞。

项美静作品二

立春

捡几声鸟儿的鸣叫
雪融处
春，站了起来

林彧鉴赏

我几乎不曾评议过任何人的作品，更不喜指三道四地数落别人的心血结晶。而项美静这些三行诗却让我眼睛为之一亮：遣字已藏机锋，意像鲜明，亮如星斗；短短三行却高潮层涌，余韵无穷。较诸她以往那些较传统的婉约之作，我毋宁是为此折服，大力击掌啊！

这首《立春》

> 捡几声鸟儿的鸣叫
> 雪融处
> 春，站了起来

我淘气地添了几个字，也可出人意表喔《立春》

> 捡几声鸟儿的鸣叫
> 雪融处，凝视我的裸露
> 春，站了起来

项美静作品三

忏

木鱼敲了千年
直敲得遍体鳞伤
也未唤醒，那尊泥塑的菩萨

46

怀鹰鉴赏

读项美静微诗

一口气读完项美静微诗集，感觉过瘾和尽兴。项美静三行诗，虽然不是首首都是"魔幻"之作，但大多能完成自己想要的效果，有时连"虚招"都用不上，直接把那个完成塑造出来。当然，写得典雅是一个特点。这个典雅是诗人的古文造诣累积而来，单只典雅是不够的，还必须有精致的构思和语境上的变化。试举一例说明之。

说是禅诗也可以，说是诗人的介入和感触也可以。木鱼是个宗教器具，何时出现，大概已不可考，但那"笃笃笃"的声音，延绵千年。每敲一声，都会唤起人们心头的莫名的悲悯之情，沉浑但脆亮，没有时空的概念，只要心里有微尘，就需要这声音来净化。可谁去思量，它（木鱼）被敲了千年，"遍体鳞伤"啊；伤的其实是这混沌的世间，人情，而高高在上的泥菩萨，仍然高高在上，并未被这悲悯的木鱼声唤醒。

前两句都是动态语言，第三句忽然静了下来。然而，这静并不静，让我们陷入更深的思考，为何日夜膜拜的泥菩萨一点都不动心，祂的象征意义在哪？

因形象而触情，情到深处却是"空"。

三行诗的精髓就在此，顺流而下，却又能激起波澜，并且不留痕迹，足见诗人的功力。木鱼是个惑，泥菩萨是解惑，可漫漫千年，仍解不了，回旋的空间犹似漂泊的云，下一刻飘向哪儿，谁也不知道。

项美静作品四

溪

驮着沧桑千回百转
任垂柳与孔丘隔岸拔河
跳着恰恰，奔向天涯

刘强鉴赏

项美静诗美艺术的扭转

项美静是一位女史诗人，诗学甚深，诗作亦丰。受到中外华文诗坛关注和赞赏。当下，中国新诗发展到她这儿，诗美艺术发生一种扭转：更重视诗的叙事和描摹。

项美静喜欢写微型诗，近作《微诗一百零八首》，追求唐代寒山子等"天台三圣"（三僧）诗的禅味，诗美艺术堪佳。以之为例，先做一些品读，而后再评论。

这首诗写的是山涧小溪，却能以小见大，见出天人合一，宇宙全息，全在于它的叙述和描摹。第一句，"沧桑"的形描，"千回百转"的叙事，便有大气魄，表现出历史的行走。当然，外象是山溪奔流。第二句的描写有了隐藏，此岸垂柳与彼岸山丘两相拽拔，就有了力量。中国的历史是"灵性"与"奴性"纠葛的历史，我们的人民摒弃"奴性"，滋养"灵性"，便有了无限的创造力。这不啻与大自然的滋润相关——山溪是灵性的，也与人事关联。"孔丘"语意双关，不啻山丘，还暗含一代先师孔子——他不只是积极入世的带头人，也是"君君臣臣父父子子"的倡导者，"奴性"贻害我们几千年（我想，诗人写到"孔丘"之处，或许会恣意微笑一下）。第三句是对山溪的补充形容，叙述今天的历史在蹦跳着发展。

溪（自然）和社会合一，也和历史合一。从这首诗看，微诗、小诗，也是大诗，这是毫无疑义的。总体看，这首诗描写自然，却隐藏社会历史，看出"灵性"与"奴性"的博弈，可以帮助我们"去喧嚣"，而听到广远的声音。

王立世作品一

感叹号

倒立了一生
每天都在感叹
那些容易弯曲的事物

呼岩鸾鉴赏

　　"五四"新文化运动催生了新式标点符号，也催生了白话新体诗。王立世第一次用拟人的手法将感叹号赋予"倒立"的形象和挺拔的人格，从一个独特的视角透视尘世的无奈，用悲悯的声音祈求生命的尊严。不管生态多么严峻，诗人宁愿倒立，也不想弯曲，哪怕孤独，也不愿同流，展现出独有的精神风骨，憧憬的永远是正直、正气和正能量。诗人的感叹号囊括了人间诸多的不平和辛酸，毫无应和正是世人精神麻木的反应。诗人怀着"哀其不幸、怒其不争"的态度，去反思和批判那些被物质异化的人，那些没有尊严和人格的生存，这就是王立世诗歌的思想精髓。

王立世作品二

春天贴

野花、鸟鸣、野鸭
都够美的
可我不知道谁是我的春天

呼岩鸾鉴赏

　　春天贴，就是给春天写个便条，这个便条多么特别！诗人在山河丛林中邂逅了野花、鸟鸣与野鸭，他们都美起来了，但诗人自己却在"美"中疑惑起来了。三者中谁是他的春天？都不是？合起来也不是？这个问题的答案，好像一下变得渺茫了。从没有一首诗对春天表现过这样的犹豫不决。春天也是一种法，好的春天只在人心里。求春天法，要向心内求，必能找到禅界光明温暖的"太阳春"，就是他灵魂的春天。他在他自己的春天里，认准谁是他的春天，谁就是他的春天。他的春天可能很多，也可能很少，或只有一个，都是最好的。但不会没有，总有一个等在那里。具体是什么，不是外人所能道，也无须外人知道。《春天贴》这首禅诗，弥散着古代禅诗体制内的韵味，言浅意深禅味丰沛，禅象机锋明暗无踪转换。

王立世作品三

钓

钓者和鱼
弄不清谁在钓谁
一江水眼睁睁地看着

马鲜红鉴赏

　　这首诗借用钓鱼的场景，运用拟人的手法，揭示人类生态的失衡。一般人只看到钓者钓鱼，诗人却看到了鱼在钓人，这就是诗意的发现。人们生活是为了什么？追逐的东西对生命，对众生有什么意义？没有正确的价值观，就经不起物质的诱惑，终会迷失自我，甚至走向坠落，弄不清是人在追求美好生活，还是生活在摧毁人，所以人就需要反思。曾子说"吾日三省吾身"。有了反思就有了旁观者之眼，就能时时看清自己，在一言一行上纠正自己，成为有目标、有导向、有境界的人。当修行到达一定程度的时候，就会超越眼前的利益，克制膨胀的欲望，洞察社会万象，悟透生命本质。人在尘世追逐，就好比钓者在钓鱼，必须把握好度，时时警醒自己，才不至于被利益牵着鼻子走，最后反被拉下水。"一江水眼睁睁地看着"，世道人心往往是"当局者迷，旁观者清"。这首冷抒情的诗含有朴素的辩证思想，更有对混浊生态的尖锐批判。

水

特别冷时
才表现出一点坚硬
来对付生活

马鲜红鉴赏

　　这首诗借物喻人，用水来表现人性的一些特点。舒适的环境不仅成就不了人才，反而会摧毁一个正常的人。人只有在"特别冷时/才表现出一点坚硬/来对付生活"。顺境人人都喜欢，但是只有逆境才能锻炼人，造就人。孟子说过："天将降大任于斯人也，必先苦其心志，劳其筋骨，饿其体肤，空乏其身，行拂乱其所为，所以动心忍性，曾益其所不能。"经历了生活的"冷"才能造就坚强的品格；经历过饿，才会知道一块面包的重要性，才会真正理解人生的真谛。再进一步讲，一个人只有遍历世间之苦，才会懂得众生之苦，才会与众生共情，产生慈悲心，坚定服务天下众生的志向，成为在世之圣人。

我这盏灯

如果突然灭了
我怕灯口生锈
灵魂再不能发光发热

马鲜红鉴赏

　　这首诗把灯比作人的肉体，把光比作人的灵魂，光一旦熄灭，灵魂消失，肉体就会生锈。肉体先要满足口腹之欲，接着就生出更多的欲，而欲是无止境的，一味行欲人就会坠落，腐朽，不旦害己而且害人。老子说："五色令人目盲；五音令人耳聋；五味令人口爽；驰骋畋猎，令人心发狂；难得之货，令人行妨。是以圣人为腹不为目，故去彼取此。"所以肉体来到世间是带着原罪的，看不见自身的欲望，不懂得节制欲望人就会变得邪恶。诗人很清楚这一点——"如果突然灭了/我怕灯口生锈/灵魂再不能发光发热"。"灯口生锈"就是腐朽，人已经完全被欲望控制，再也升不起灵魂之光，所以诗人害怕。因此，老子告诫世人：但求吃饱肚子而不追逐声色之娱，摒弃物欲的诱惑而保持安定知足的生活方式。佛也说：解脱之道有三次第，持戒、禅定与智慧。如果我们持戒正行，禅定修行自然会增长，而禅定中又生智慧，人人择善而行也就能战胜情欲、嗔恕、愚痴、幻象与渴求，收获解脱、平和与喜悦。所以有灵魂的人就是一盏发光发热的灯，能够照亮他人，温暖他人，正如老子和佛佗；而丧失了灵魂的人，只能在坠落中腐朽。

程家惠作品一

鹅鹅鹅

纵然人心难测
江湖险恶 都昂首挺胸
一路高歌: 我就是我!

艾葭葭鉴赏

　　三寸诗行亦能表心，短短的三行，不过寥寥数字，作者就把内心的观照展示给了读者。这篇微诗如同一颗橄榄，让人越嚼越有味儿，浅谈一下我的感受。

　　诗的标题《鹅鹅鹅》，让我的脑海里快速闪现了唐代骆宾王的那首《咏鹅》，觉得作者是不是要效仿古人托物言志，结果作者巧借"时尚"元素谐音梗，令人眼前一亮。"纵然人心难测/江湖险恶都昂首挺胸/一路高歌：我就是我！"本诗虽然借用了"鹅"昂首挺胸、一路高歌的意象，但细细品味就能感受到作者的良苦用心，将他所感悟的哲思浓缩在短短的诗行里展示出来。世人皆叹人心难测，但难能可贵的是做人能坚守底线、坚持初心、保留纯真和长存斗志。这种经过了千疮百孔的红尘历练，仍能秉持昂扬向上的意气风发姿态，特别感人和振奋人心。

程家惠作品二

催眠

用诗编织成一张吊床
一头挂月亮 一头挂星星
在风的摇晃中入梦

艾葭葭鉴赏

《《催眠》这首微诗唯美、浪漫，让人仿佛置身于一个月明星稀的夜晚，风里有花的幽香，梦里有新的希望，岁月在平淡中静静地流淌，流年在星辉中悄然轮转，多么美好！

"用诗编织成一张吊床"作者用诗意编织一张吊床，把读者网在了绮梦中，这是趁年华尚在享受生活、令人艳羡的惬意人生。"一头挂月亮/一头挂星星/在风的摇晃中入梦"一句句读来何其浪漫！"秋风清，秋月明"，"愿我如星君如月，夜夜流光相皎洁"，"醉后不知天在水，满船清梦压星河"，"月明船笛参差起，风定池莲自在香"……自古以来，清风、明月、星河是中国文学中浪漫、美好、思念和希望的意象化身，作者用这些文学意象构筑了一幅静寂唯美的夏季月夜图，令人心驰神往。

而诗题《催眠》似乎又带着一点小叛逆，仿佛是岁月静好下的另一面，美好浪漫中透着一丝若有若无的忧伤。诗题和意境呈现出来的反差，构成了这首诗矛盾又和谐的独特美感。

程家惠作品三

现实

心可包容万象
思想能飞越天涯 却走不出
红尘那三寸泥潭

艾葭葭鉴赏

不同人有不同的价值观念，对人生有不同的态度，因此，人的思想层次和高度也不一样。什么是现实？大众的理解是客观存在的真实事物或事实。

《现实》在作者笔下呈现出来的是有别于大众理解的另一番境界：第一句"心可包容万象"颇有"海纳百川，有容乃大"的气势，但接下来的"思想能飞越天涯 却走不出/红尘那三寸泥潭"是屈服于现实的无奈与无力，而字里行间却又藏不住慈悲之心，如同万物生生不息的源泉，又如人们留恋世间万物的美好期待。因为慈悲，所以更能体会他人的苦难，更能与人共情；因为慈悲，人与人之间的关系，才能产生共鸣和温暖。

程家惠作品四

人情

经线是火 纬线是冰
网里跳动的是
疲惫的心

艾葭葭鉴赏

　　有人说人生最贵的高利贷就是"人情"，在生活中我们都活得像只蜘蛛。不管多努力地让生活变得简单，终究还是离不开那张人情编织的大网。

　　作者用经线、纬线隐喻人情，"火"代表的是热情，"冰"代表的是冷酷。当一个人身在云端时，迎接他的多是鲜花、掌声以及火一样的热情，此时的人情如春日暖阳，但某些应酬却又难免令人厌倦。当一个人在谷底时，靠山山倒，靠海海干，世态炎凉，只有身在其中的人才懂个中滋味。人情这张无形的网，禁锢了人心，想要逃离，却又无处可逃，心的疲惫也就成了一种病态的存在。"网里跳动的是/疲惫的心"是作者的高度总结，并将诗意推向了最高点，"疲惫"一词是这首微诗的诗眼。

程家惠作品五

在人间

佛陀大悲
弥勒大喜
哭笑间 物是人非

艾葭葭鉴赏

　　《在人间》作者借用佛理，来映射人生百味。"佛陀大悲/弥勒大喜/哭笑间　物是人非"作者用一双慧眼体察人间沧桑，世事变迁。人生在世，难免要经历大喜大悲，有团圆美好，也有生离死别。相聚是快乐的，离别是伤感的，一切如愿是乐，执取身心即是苦。物是人非是世间常态，世人不必执着于过往，要学会顺其自然，活在当下，不纠结、不沉溺，不留遗憾地"在人间"走好每一段路。

飞马作品一

落雪的季节

一朵梅
在枝头　找到了
诗和远方

寒山石鉴赏

　　飞马的这首诗连诗题在内，共 18 个字，却充满了哲学的思辨。一是"大"与"小"。即以大场景铺垫，小视角切入。在落雪时节"万里寒光生积雪"的大写意中，推出"冲破晓寒开"的一枝梅花，壮阔雄奇与精微细致，各领风骚。微型诗缩龙成寸，必须重视诗题。诗人正是在"落雪的季节"大场景铺垫中，"一朵梅/在枝头"承接诗题，完成了视角的转换。二是"分"与"合"。这首诗中，寒冬、长空、飞雪、红梅、玉枝，无论是诗人直接写出来的，还是让读者联想到的，既相互独立，又浑然一体，色彩鲜明，相映成趣。平常的、孤立的事物一旦被诗人的生花妙笔组合在一起，便构成了奇妙的艺术境界，令人心驰神往。三是"形"与"神"。诗人以拟人化的手法，将"一朵梅/在枝头"的迎风摇曳，抽象化为情态毕现、活灵活现的一个"找"，当是这首微型诗的诗眼，动态感极强。四是"虚"与"实"。清代戏曲理论家曾说过："实者就事敷陈，不假造作，有根有据之谓；虚者，空中楼阁，随意构成，无影无形之谓也。"虚由实生，实仗虚行；以实为本，以虚为用。"一朵梅/在枝头"，凭借一个"找"字的桥梁过渡，"找到了/诗和远方"，此处当为神来之笔。飞雪、红梅、玉枝的实写与"诗和远方"的虚写，前呼后应，虚实结合。五是"景"与"意"。"一切景话皆情语也。"唐代诗人王昌龄有言："景入理势者，诗一向立意，则不清及无味；一向言景，亦无味。事须景与意相兼始好。"梅花是"岁寒三友"以及"四君子"中的一员。一朵梅于寒雪冷风中冰姿仙风，"看来岂是寻常色，浓淡由它冰雪中"，"冰雪林中著此身，不同桃李混芳尘"，"梅花欢喜漫天雪，冻死苍蝇未足奇"，这卓然独立的品质，正是一种充满情怀、理想和志向的诗歌精神，一种"冬天到了，春天还会远吗"的信仰。一朵梅就是一首诗，就是一种远方。情景相融，物我合一。

飞马作品二

长城

一笔　狂草

中国

龙

素魄清魂鉴赏

龙在我们华夏儿女心中地位非凡，把这样耳熟能详的标志性图腾与长城结合起来，相得益彰，别具匠心。雄伟逶迤的古老长城，就像是一条巨龙屹立在世界的东方，狂草更是我们中国独有的汉字书写形式，放纵多变；与龙的意念特征相近。惜墨如金的七个字，组合在一起，意在言外、耐人寻味。凸显了长城的文化底蕴，以及它的历史价值与政治意义。既有比喻又兼有象征，并且还能体会出一点夸张的意蕴。读一首好诗，如同去品尝一道菜肴。不仅要看它的品相，又要细细咀嚼其味道。"大音希声，大象无形。"联系到诗歌创作上同样适用，一首好诗我们不仅需要理解字面上有形的实质，更要去揣摩字面一下无形的精神内涵，以辩证的思想来欣赏对待。整首诗气势磅礴，张力十足，振奋人心。是民族气节的体现，是诗人的满腔爱国情怀，是作为中华一份子的自豪感，是歌颂万里长城的无声呐喊；雄浑有力，意境深远。

飞马作品三

雪落有声

山上的村庄，一夜花开
行走在外的人
霎那间，头白

王克金鉴赏

　　诗成两个意象的并置。一是花开，一是头白。花和头白，都可以看做是雪的喻体。这可分为两种情况：若是本来并无下雪，"花开"为实际发生的话，则暗示此时正是村庄的春天。在外的人，思乡更是心重。若是真下雪了，雪景似为花开，暗示此时为深冬。在外的人，回乡心切，也可"头白"。不论何种季节，"头白"似雪都是心境滴冰的事。诗的张力源于两意象并置，深层的意蕴则是"情思"的刻骨吹拂。

飞马作品四

乡愁

我睡在故乡的梦境里
故乡睡在一轮圆月里
圆月睡在一滴泪珠里

苗雨时鉴赏

　　"月是故乡圆"。那么什么是"乡愁"？中秋月满，人在他乡望月，遥念故乡如在梦中，不由得洒下清泪。这种情感和思绪的心理起伏，被诗人巧妙地安置在三个递进意象的思致框架中："我睡在故乡的梦境里"，而"故乡睡在一轮圆月里"，那么"圆月"呢？"圆月睡在一滴泪珠里"。在话语修辞上，这叫"顶真格"，从"故乡"而"圆月"，从"圆月"而"泪珠"，辗转推升，在如梦似幻的迷蒙中，便形成了"乡愁"的宏阔与凝重：一滴泪溅漫天悲！

飞马作品五

品茶

透过一层薄雾，看到自己
也被一只杯子泡着，时光
正一口一口地饮我

紫塞长风鉴赏

　　品茶，品的是人生，品的是时光。能不能看透那氤氲的"一层薄雾"，是道行的体现，也是人生境界体现。这就如同人在改变着世界，世界也同时在改变着人一样。我们想穿透薄雾，而薄雾却在包围着我们。我们在饮着茶，而时光，也在饮着我们。泡在生活这只"杯子"里的，岂止是茶，分明有你，有我。

　　重要的是，能在一杯茶中，看到人生的浮浮沉沉，看到无处不在的禅意。

白曼作品一

听潮

维港边
百年前断裂的光流
又雄浑地汹涌了起来

徐英才鉴赏

历史的涛声

如果一首三行诗仅仅只表达三行的内涵，那它无论写得多么优美，只能像一只精美的小酒盅装了白开水，喝后没有回味，没有后劲，不能微醉。三行诗，应该像小酒盅里装满了烈酒，贵在回味、后劲、使人陶醉。白曼的这首《听潮》，就是一只满装烈酒的小酒盅。

听潮，听潮里的什么？如果听到的仅仅只是江河湖海的涛声，那它无论如何都只是水声而已。如果我们能够冲破"水"的束缚，"声"的桎梏，从中听出故事来，甚至听出历史来，那么，这个"潮"就非同一般了。白曼的这个"潮"，就是鼓浪着历史的潮声，汹涌着历史的潮流。1842年第一次鸦片战争失败后，中国的香港被割让给了大英帝国；1856年第二次鸦片战争失败后，中国的九龙又被割让给了大英帝国，历史的潮流两次断裂、两次滞流，两次哑然。一直到了1997年7月1日，香港才回归祖国。1997年7月1日，是历史的潮流得以继续汹涌奔腾，得以哑然复声的时候。这时我们坐在维多利亚港边来看潮水，来听潮声，那是断裂哑然后的波涛汹涌与奔腾不息。我们看到的，分明是历史的光流；我们听到的，分明是历史的涛声。这么宏大的一个主题，用一首长诗有时都难以表达，而白曼用短短的三行20个字就把它表达得淋漓尽致："百年前断裂的光流／又雄浑地汹涌了起来"。

这首《听潮》，通过象征手法把海潮喻作历史的潮流，表达了香港从割让到回归的过程。整首诗虽短，却气势磅礴，节奏迅猛。诗的言外之意都隐藏在这个象征手法里。读完它，就像喝了一盅烈酒，回味不尽，后劲十足，真是有点醉人。

白曼作品二

妃子笑

笑了千年
如今
还在笑

徐英才鉴赏

何为妃子笑

留白，中国国画的重要创作技法之一，也是中国诗歌的重要创作技法之一。所谓留白，就是虚实相间，有无相衬，用虚像烘托实像，用实像牵引虚像，从而起到激发观者或者读者想象的作用。白曼的《妃子笑》，就是一首成功地采用了留白手法创作的经典三行诗。

妃子的笑是怎样的笑呢？立题就留出了空白，埋设了悬念，勾起了读者的好奇心。

古代皇帝有三宫、六院、七十二妃，更有三千佳丽之说，这么多老婆，勾心斗角，争宠搏爱是在所难免的。只有争得了皇帝的宠，搏得了皇帝的爱，那才能安身立命，甚至权高一方，甚至权倾朝野。要争宠搏爱就得陪笑。所以，古代妃子的笑，其实就是为了有所依靠而做的陪笑。那么，这一笑，又为什么"笑了千年"，甚至"如今／还在笑"呢？这是本诗的第二个留白，也是激发读者的想象与追问的主要原因。

是啊，古代妃子如此，当下的一些女人们何尝不也是如此？酒吧里，会所里，那些女人们为了讨得男人们的欢心，套个大款，难道不也正在陪笑吗？所以，这一笑，就"笑了千年"，"如今/还在笑"。妃子的笑，其实就是女人们的陪笑。

白曼的这首诗，其重要看点就是留白，读者必须反复思考，自己揣摩才能明白作者的用心，这，就是诗歌的张力。

白曼作品三

君影草

世界纷繁
我们隐身一方
相厮、绽放、飘香

王立世鉴赏

红尘一隅

　　草是植物的隐士，君影草是隐士中的隐士。写隐，以纷繁落笔，才有意味；以纷繁反衬，才会喧嚷嘈杂中更显幽深；以纷繁为大背景，方能暗示洁身自好、与世无争、看破红尘之深厚内涵。而她们隐身，却并不消极，是无为而无不为。不然，她们怎能"相厮、绽放、飘香"？

　　诗人写隐，只呈现了事实，与植物的习性吻合，但缺乏情态。也许是故意的，采取的是以退为进的策略。过早的发力一般难以收场，诗人高明在把力用在刀刃上，最后锋芒毕露。隐好象与孤独、落寞、软弱、暗淡分不开，诗人用"相厮、绽放、飘香"颠覆了传统认知，使君影草有了灵魂的依托、生命的强力和怡人的价值，诗人不是为写君影草而写君影草，而是以草喻人，表达一种低调而豁达的处世哲学，与尘世的浮华格格不入。

白曼作品四

柳烟

疏疏淡淡的绿
浅浅深深的春
拢着的是整个江南风情

烟柳下的江南

以烟喻柳，古已有之。白曼写柳，避实就虚，影影绰绰。写绿似有似无，写春深浅不定，与叶的摇曳不无关系。最后一句，点明地域，凸现风情，虚实相间，境界自出。初学写诗的人爱用形容词涂脂抹粉，往往失去了艺术的天然之美。白曼没有色泽的形容词用得恰到好处，让我想起"淡妆浓抹总相宜"的审美。诗人的动词"拢"更是出手不凡，在前两句静的基础上突然动了一下，一首诗就获得新生命。白曼用词朴实，但能收到平中见奇的艺术效果。三行诗最忌平淡无味，白曼的诗却余味不绝，耐人品读。

偌大江南，粉墙黛瓦、碧水拱桥、柳絮紫燕，旗袍纸伞、烟雨中朦朦胧胧，怎么写，何处落手？诗人的高明之处在于，以点绘面，从杨柳落手，末一句"拢着的是整个江南风情"画龙点睛，一下子就拢住了整个江南。

徐庆春作品一

强力胶

干什么都要留有余地
不然，粘住了别人
自己也扯不开

神青赶鉴赏

徐庆春老师这首小诗《强力胶》属于微型哲理诗。写这类诗是有难度的，越实质难度越大。

在生活事实与生活真相之间，人们往往喜欢停留于生活事实，而生活真相的层面也不是单一的，所以智慧是生活事实的衍生而不是生活事实的对应。也就是说，一个生活事实，能生出无限个生活真相。就如《红楼梦》，不同的人能从中观照出不同的东西。

在《强力胶》的观照里，徐庆春老师倾向于了人际关系或是一种强迫力量，因而给予了警示或提醒。这首诗是一种智慧引伸，是危险关系对峙中的纾解。无论在诗性，还是在逻辑抽绎方面，这首诗都是成立的。

此诗虽短小，但富于启示。在非智性的野蛮环境里读此诗，很能领悟到一个合理建构的重要性。

徐庆春作品二

上帝

孤独时
上帝会坐在跷跷板一端
发呆

龙洋鉴赏

上帝是万能的，仿佛治疗世界万物（尤其是人类）的一剂灵药。灵药的需要来自内心伤痛，因此被虔诚地制造，心甘情愿接受主宰，并时时刻刻供奉、赞颂着其无所不能。

然而，万能的上帝却在"孤独"，却在"发呆"。为什么呢？我不惜冒昧揣测如下：1."孤独"来自所向披靡战无不胜的历史；"发呆"是一种权力孤傲自赏。2."孤独"来自没有对手挑战，"发呆"来自现实中的实力蔑视。3."孤独"来自缺少理睬关顾，"发呆"来自于已经有的或者将要到来的"信仰怀疑"甚至倒塌。凡此种种这般……对上帝，对人间万事万物（例如人），都是同样的悲剧式讽刺。

徐庆春的诗中，上帝还在"孤独"、"发呆"。此时此刻，在跷跷板一端，上帝都掌握不了平衡，他坐不住了，正等待着你坐另一端的呢。

徐庆春作品三

活字印刷术

所有字
活着的全部意义
就是任人摆布

江小舟鉴赏

　　"活字印刷术"的发明是印刷史上一次伟大的技术革命。我国北宋时期的毕昇发明的泥活字，标志着活字印刷术的诞生。他是世界上第一个发明人，比德国人约翰内斯·古腾堡的铅活字印刷术早约 400 年。

　　此诗《活字印刷术》巧妙又自然地抓住了字如其人的表面含义，本质并深刻地阐述了"所有字／活着的全部意义／就是任人摆布"（另类拟人拟物化）。"摆布"是指安排、布置；捉弄、处置。为某一特定目的或把对方当作某类人来对待、使用。

　　诗人充分发挥了"活字"之意，娴熟地运用了双关语的技法诠释了人生中为人处世的生活哲理，或雕虫小技。而"所有"两字更加耐人寻味，令人读后回味无穷！

徐庆春作品四

拦河坝

有一天
冲垮你的
都是你自己拦下来的水

归隐书林鉴赏

我和徐先生并不熟识，诗之外对他的了解，也仅限于看到过的他的一个简介。记得里面有这样几句："出身农民，不爱养花，爱栽刺。"

因为有"不爱养花，爱栽刺"这样的理念，在徐先生的诗园里，没有一首诗是美化和歌颂的，而都是一些带有理趣（哲学、道理、经验）或带刺（讽喻、揭示、批评）的诗。

手法，就是客观呈现，说出真相，揭示本质；即言在此，意在彼，诗旨深远；又表达的理性、理智和冷静。

比如这首《拦河坝》，"拦河"是表象，"冲垮"才是本质，但又有多少人能透过事物的表象而看到事物背后的本质呢？

又一个"栽"字，也让徐先生的诗都是"活"的，扎根在现实这个深厚的土壤之中；且又是，爱之深责之切之情怀。孔子说"听其言观其行"，徐先生的诗就达到了一种"言"和"行"的统一。

李银波作品一

二哥

早早埋在了父亲脚头
闲时，他俩一起车马炮
我陪着母亲，缓缓捡拾岁月

天涯鉴赏

作品以平淡口气抒发了内心浓烈的情感!

首句以民间习俗切入,展开主题。一个"早早"蕴含了多少无耐和痛心的酸楚啊!本该是风华正旺的年华,谁曾想却追随父亲而去。

中句:"马车炮"道出他俩生前闲时常在一起下象棋,以生前的情景来寄托他们去世的追思,渲染力极强。

尾句:自然引出我和母亲,二哥在那边陪父亲,我在人间陪母亲。"捡拾岁月"一语双关,既表达了过去一家人在一起的追忆和怀念,又包含一种我和母亲在未来日子里惺惺相惜的感慨!

小结:作品条理清晰,逻辑缜密。通首没有一个华丽词燥,却真情自然流露,引人共鸣!

李银波作品二

铧

撂在老屋的角落里
犁痕刻画出
父辈道道的沧桑

天涯鉴赏

作品人在景外，情在景内。犁铧与农民相伴一生，它翻开了岁月的春秋，也翻出了作者尘封的记忆。作品以犁铧与父辈共命运的特征，借犁铧歌颂了父辈默默无闻，坚韧不拔，奉献的高贵品质。

首句犁铧的现状画面切入，"摞在老屋角落"，说明机械化作业，犁铧已退避三舍，一种酸楚之感悠然而生。侧面道出科技的飞速发展，五千年传承下来的犁铧最终被淘汰。

中尾句输入情感，巧妙地采用移就修辞方法，把意象"犁痕转换到"父辈道道沧桑"，可谓精彩。虽然父辈和犁铧都已老，都已淡出人们视野，但是铧上的印痕留下了父辈勤劳的永恒。

作品通俗易懂不做作，且情感真挚，只选取了捕捉了一个生活特写镜头，就把父辈质朴，勤劳的形象表达的栩栩如生。引发读者共鸣！

李银波作品三

粉笔

随着灰霾的消散
讲台前
逐渐露出参天大树

天涯鉴赏

作品语言质朴，巧借粉笔的特征歌颂了老师的无私奉献精神和任劳任怨的品质。

首句，"随着灰霾的消散"以粉笔的生命结束切入，道出因，留下悬念。

中尾句以"参天大树"道出果。构成内在的因果关系。以粉笔的小引出参天大树的硕果。以小见大。这就是我们常说的从小处着手，大处着眼。也侧面道出"付出与收获或正比"的生活哲理。

本首作品言简意赅，真正做到了微型诗的多一字有点多，少一字有点少。

寒山石作品一

禅坐于云天之下 高山之巅

放下山一样沉重的孤独　静观
星空这盘下了一夜的棋局
总让一枚日出 落子收官

秦淮情怀鉴赏

这是一首现代微型禅诗的经典。诗题"禅坐于云天之下高山之巅"中的"禅坐",用得精妙。诗人从佛学高度,在"云天之下"得到超悟,在"高山之巅"的观照中,将自在恬然的心境与清幽静谧的物象交融为一。

星空作为棋盘意象,大致来源于星罗棋布这个成语想象的延申,也有名句"阵如星空,棋如星踪"的支撑。"星空这盘下了一夜的棋局",起承"放下",转合"收官",其中至少涵盖了以下讯息:一、围棋讲究的是大局观,总要舍得舍得,大德大道,大道大德。二、知白守黑,立足一处,眼观全局,这是何等境界。三、而如今岁月静好,天下太平,有如白居易曾写过他眼里的里坊,"百千家似围棋局,十二街如种菜畦"之貌。四、人呱呱坠地,便为一粒社会的棋子。诗人阅尽放下与提起的沉浮人生,不变的是内心的执着、初心的坚守。

"总让一枚日出落子收官",笔触大气,以夸张手法,表现诗人"行至水穷处、坐看风云起"的境界:顺应自然,内心澄净,在阳光照耀下透彻光亮;自得悠闲,随意而行,自由自在,表现出诗人淡逸的天性;初心不改,超然物外。

整首诗,不仅强调禅与诗的圆融之美,真正做到了我国金末元初诗人元好问的:"诗为禅客添花锦,禅是诗家切玉刀。"

寒山石作品二

人生

全凭一根硬骨
硬撑
撑硬

秦淮情怀鉴赏

叠咏诗，也称复字诗，是古诗词的一种体裁，其特点是利用同样的字多次重复出现的这种修辞方法。然而，诗歌又讲究语言凝炼生动，在一首诗中最忌重字，微型诗极为精锻，当尽量避免用字重复。

然而，诗人寒山石老师，将复字诗形式引入微型诗创作，做了一次有益的尝试，使读者耳目一新，在坐享于复字带来的趣味性和游戏性中，领悟诗人追求的人生价值。很值得一读，是一件艺术性很高的作品。

"全凭一根硬骨"的"硬"，说明材质强度，本意是指骨头内部的组织紧密，受外力作用后不容易改变形状，引申为具有坚强不屈的精神；"硬撑"的"硬"，反映个体心理状态，是指坚决或执拗地做某事；"撑硬"的"硬"，强调行为后的结果，是指本领更强、素质更好。文字是诗歌的血液，而汉字一字多义的普遍性，正好给诗歌创作提供更有力的保障。文本中三个"硬"的含义虽不相同，但对诗题的指向性趋于一致。参差错落地以"硬"绘"骨"，淋漓尽致，读来丝毫无拗口、累赘之感，不禁拍手称妙。

区区十字微诗，包含两个"撑"三个"硬"。如何"撑"？达到怎样的"硬"？诗人没有明说，留白给了诗歌再创造的我们。

刘和旭作品一

老屋

父亲用驼背　撑着
怕撑不住
又加了根拐棍

寒山石鉴赏

父亲是一座山，总给我们以坚毅的力量。而这种坚毅的背后，却是超乎我们想象的坚韧支撑。

撑着老屋，就是撑着这个家，撑着生活的艰辛，撑着儿女的未来。

"怕撑不住/又加了根拐棍。"你可以理解为这是对担心倒塌的老屋的支撑之木，也可以理解为是年迈的父亲的那根拐杖。一语双关。

当然，你也可以理解为这是父辈们对生于斯、长于斯的"根"的坚守，是对都市化进程中最后一抹乡愁血浓于水的留守。

无论怎样，这一撑，也撑起了我们对父辈的敬仰，更应当撑起我们的精神！

看似平淡的缓缓道来，情感却很是深沉凝重。

刘和旭作品二

情

老屋是父母身边的宠物
我每次归来 它都高兴地
将尾巴 摇成了炊烟

幽兰鉴赏

　　首句将父母深恋的老屋比作"宠物"，自然铺垫尾句的"尾巴"，想象丰富，比喻形象生动，与亲人相见欢的场面借助老屋及炊烟来表达，一个"尾巴"的比喻和动词"摇"成炊烟，意趣动感，立体了诗意。生动再现诗人与父母团聚亲热高兴的场面。而尾句的"炊烟"则是父母欢迎儿子的实体亲情，多少爱，多少美味佳肴都在袅袅炊烟中体现，出彩地烘托了主题《情》的浓郁氛围，上下气息贯通，一气呵成。这样写与亲人团聚实属首读，描写生动传神，角度出新。

　　此诗，充分体现了审美再造的想象奇特与贴切，并巧妙藏意于象外，很机敏地给读者以提示，既让人读懂又让人莞尔一笑，之后禁不住击掌喝彩！

刘和旭作品三

佳作

一排排海浪，一行行诗句
我俩坐在沙滩上
成了标题

秋枫赋鉴赏

令人眼前一亮的佳作!

"一排排海浪,一行行诗句""我俩坐在沙滩上"如此的平铺直叙,白描的手法没有修饰的修饰;"成了标题"结句还是白描,但看似不经意的一句却是全诗的异军突起——有如海掀起的一股大浪直击诗的主题!内涵深意全在这里。

诗中为海的诗行做标题的"我俩"给人以无限想象空间——海浪写下的可以是爱情,可以是友谊,总之这都是永恒的主题啊!

刘和旭作品四

小溪

给山加了个　破折号
让海解释
山的内心世界

秦淮情怀鉴赏

　　诗题入诗，"小溪""给山加了个破折号"，奇思妙想，引人入胜。破折号用途广泛，主要用来引出解释说明的语句。大山有它的清新与舒展，坚韧与挺拔，也有它的杂乱与纠缠，神秘与恐惧。谁来解释说明大山的内心世界呢？诗人给出的答案是大海。诗人运用隐喻修辞手法，巧妙地在自然景物上迅速地找到情感的突破口，达到自己表达的层面。大山作为自己的喻体，暴露出人的多面性；作为小溪的破折号，是内心情感的出口；大海则是豪情，是愿望，是诗人自己澎湃的新生活。此诗的亮点，就是通过山和海的形象，小溪的纽带，与自己心灵相契合，张扬生命激情，表达诗人倔强、不愿向命运妥协、不愿放弃追求的写照。诗语看似突兀，其实机巧，这种运用，来显示深厚、高亢的感情，令人神远。

天涯作品一

错过

说好的，一起在路口等秋
一不小心
彼此，成了故事里的事

流水生财鉴赏

叙述的诗语简述"错过"的遗憾，没有抒情，却胜过抒情，这就是我经常讲的"揉面"笔法，只有揉熟了才劲道，才津津有味。诗歌也一样，要善于把普通的文字合理搭配，收到最强效果，令读者所思、所想，夯实作品根基，这方面天涯诗友可谓是佼佼者。

拿该作品来说，"一起等秋"，这句就非常亮眼，秋天是收获的季节，硕果累累，所以"秋"在这里可理解为硕果累累的甜蜜的婚姻。那作者为何不用"等春"？因为春虽美丽，却华而不实。作者巧借春与秋含金量的不同来暗喻爱情，真的很出彩。

结尾妙笔再次彰显作者功力，巨大的反差正好切题"错过"，期望值越高，失望就越大，一不小心，成了故事里的事，美好的爱情化成了泡影，变成了人们在街头巷尾的笑话谈资，这种反差真的令读者失魂落魄，连连哀叹！

还是那句话，一首作品只有触动了读者的灵魂，感染读者，才是好作品，该作品无疑做到了。

天涯作品二

夏天的雨

太阳火爆脾气，惹恼了云彩
伤心的泪水
顷刻间，颠覆了海枯的誓言

流水生财鉴赏

　　该作品让我想起了一首经典老歌："我的心是六月的情，沥沥下着细雨。"首句其实是暗喻心情的变化，太阳太毒辣了、太有恃无恐了，全不顾及其他，所以才惹恼洁白的云，以至于乌云翻滚，那是因为触动了白云心尖最难以把控的敏感点。"云"在这里可理解为"少女"等，所以才有了"伤心的泪"。其实，这就是意象转化，作者善于扑捉六月天的特殊属性，进而转化，融进情感，从而达到情景相生的境界。

　　结尾再加火候，"顷刻间，颠覆了海枯的誓言"。这是多么伤心的泪呀！大雨倾盆，泪如涌泉，荒诞的誓言，经不起考验。其实，作者想告诉读者的是：不要轻信他人誓言，尤其是恋爱中男女，更容易迷失方向。

　　好了，就解读到这里吧，我想问问大家，读了作品，你有何感想？

昨夜的泪

最后一颗。悬在叶尖上
不肯滴落
与满天星辰，倒数黎明

流水生财鉴赏

意象转化又合一的作品，非常出彩，符合"我非我，我还是我"的相互转化与衔接，彰显了作者颇深的文字功力。"最后一颗"，不言而喻，一直不停的泪水，这的多伤悲啊！即便如此，"悬叶尖，还不肯滴落"。悲痛的泪始终挂在眼角，不会风干。作者紧紧抓住"露"在夜里的属性拓展延伸，进而嫁接暗喻人生，笔法流淌自然，水到渠成。
孤寂的漫漫长夜，唯有与满天星辰倒数黎明。凸现了作者内心的那份煎熬与无助，更暗喻了作者期盼人生的黎明，路遥遥，夜慢慢，何时走出寒冬，春辉大地？"倒数"一词放在这里，精彩绝伦，那是心的呼唤，更是对期盼明媚春光的呐喊，急切奢望走出人生的苦海，期盼柳暗花明。

一首诗歌，无需多么华丽的字眼，关键要融入真情实感，要善于运用意象说话，要善于把抽象的字眼，羽化成大家都读得懂且又很见功力的诗语，这才是好的作品，这首作品做到了，特此推荐。

表白

掬一捧清水。盛明月一弯
垂钓——
你酒窝里溢出的甜蜜

流水生财鉴赏

你问我爱你有多深，月亮代表我的心。作者之所以选取月亮这一特殊物象来比喻爱情，是因为月亮柔情似水，况且用月亮比喻爱情是自古诗人的痴爱，恰如其分。一泓月色柔情似水，一弯春水波光潋滟，真可谓美轮美奂。

尾句："酒窝溢出的甜蜜"，荡漾着少女的天真，且小酒窝里还偷偷的藏着少女一份不可告人的小心思，更藏着对爱情甜蜜的憧憬。一泓月下静静垂钓，如此无声的表白，胜过千言万语，可谓无声胜有声的经典之作。

该作品刻画人物内心，惟妙惟肖，诗语空灵曼妙，美中裹香，韵味悠长，特此推荐。

故乡，不仅仅是乡愁

蘸几滴杏花酒。月下独品
辣出的泪珠
粒粒，悬着母亲的笑脸

流水生财鉴赏

　　作品不写乡愁，反其道而行之，可谓视角独特，但为何单单选取"杏花酒"做象？其他酒不可以吗？难倒还有什么秘密？带着诸多疑问特与作者进行了沟通，才恍然大悟，大梦方醒。原来杏花酒的产地是作者的故乡，故乡不只有乡愁，还有掩盖不住的幸福，更有故乡的骄傲。这样描写是为后文的精彩做好铺垫，打好根基。

　　那接下来"辣出的泪珠/悬着母亲的微笑"，验证了杏花酒就是故乡的荣耀。作者之所以这样描写，其实，也是作者对故乡成绩的肯定，更包含着作者眷恋故乡、热爱故乡的那份情怀，也是对故乡人最亲，家乡水最甜的生动写照。

　　作品情真意切，无华丽词语，通过母亲的微笑把情感推向巅峰，进而刻画出故乡特有的风貌，意象转化的自然流淌。我们说艺术来源于生活，又高于生活，该作品做到了这一点。

杨留碗作品一

皱纹

岁月老人惦记上额头
用无形之手悄悄雕刻时光
把沧桑一点点剔成年轮

飘飘落叶鉴赏

这首诗诗中有画，画中有情，诗化手法运用娴熟，表达自然老道。读来颇有味道。

首句，以讲故事的口吻开篇，生动有趣，一下子吊住了读者的胃口。把岁月拟为老人并不稀奇，而一个动词"惦记"的嵌入，让这岁月老人立时变得鲜活，可亲；让人忍不住想往下读。

中句，自然把故事展开。"悄悄"一词用得恰好，既增加故事的神秘性，又把岁月催人老的不知不觉表达得惟妙惟肖。

末句，以年轮收尾，形象呼应题目《皱纹》。"雕刻"和"剔"两个动词，让"时光"和"沧桑"两个抽象的概念，变得具象有形；诗的肌理和质感也因此而出，可触可摸。

整首诗用词精准，表达细腻，刻画形象生动，气息流畅，诗意厚重，一生的沧桑阅历尽在这"皱纹"中。

杨留碗作品二

春天来了

太阳把气流切换成暖风模式
枝头纷纷冒出小脑袋
打探春的消息

飘飘落叶鉴赏

这首诗一反常态的老套写法，写春天来了，不写花开，不写草醒，而是从风的切换模式入手，可谓切入独到，匠心独运，于天地之外别构一种灵奇。

首句，把太阳比喻成个大空调，"切换成暖风模式"之举，新奇却不荒诞。生动形象描出四季的变换，一个"暖风"告知我们春天来了。这一"切换"，让太阳这颗恒星，不仅有温度，还有了人情味。同时，也将物理世界也巧妙地升华为诗的世界。

中句，转承自然。"枝头纷纷冒出小脑袋"，既承接上句的"暖风"带来的春讯，又以烘云托月之效，从侧面把"春天来了"的场景刻画得栩栩如生。活灵活现的"小脑袋"，多么惹人喜爱！这"小脑袋"也暗示着新春的生机和新生命对世界的新鲜和好奇。自然而然引出尾句"打探春的消息"。

整首诗一气呵成，运笔自然，语言流畅，格调清新。诗人拟人手法运用得炉火纯青，天趣之美，传神笔下。

杨留碗作品三

竹笋

以大地为弓
一支支箭
破土射向了春天

岐麟散人鉴赏

先说一下诗题，竹笋表示一种精神，面对苦难、挫折、挑战，临危不惧，敢于挑战，不屈不饶。诗人正是基于此展开去写。

首句"以大地为弓"，大地指出了竹笋的生长地，"弓"字既有形的描写，又有力的蓄势，因此张力无限。

中间句"一支支箭"顺接了首句，因为前面有"弓"，所以才有"箭"的联想，弓箭合一，力量十足，只等千钧一发。

末句为画龙点睛之笔，破土写出竹笋的钻劲，"破"为动词，增强了微诗的灵动性，"射"是弓箭的延伸词，因为有"箭"，才有"射"之说。而春天，既点明了竹笋为春之笋，为潜力股和力量型，又指出了希望和光明。春为四季之首，万物复苏，只等春天的来临。

微诗用十六个字，短小精悍，言简意赅，由竹笋的潜伏蓄势到生长，再到破土而出，写得淋漓尽致。三句用人们熟知的弓箭为引子，抽丝剥茧，特别是末句中"春天"一语双关，给读者留下无穷的思考。

杨留碗作品四

牧春

一群羊
硬是把一片青山
咀嚼成白云

天涯鉴赏

一首诗选择好了角度，就成功了一半，这是诗歌以及其他文学创作的重要经验。当然角度选择好是第一步，并不等于成功。如何展开，如何刻画，也十分重要。下面让我们一起赏读这首《牧春》：

单看作品的题目《牧春》就很有诗意，春是万物的开始，给人憧憬和希望。所以题目就会给人以无限遐想。

接着我们看文本，意象单纯，主题明朗，语言优美。作品选取一群羊吃草的镜头，精准按下快门，且以一个望远镜拉近镜头，立体呈像清晰，羊，青山，白云浑然一体的画面。通过拟人，比喻艺术手法，准确生动地描绘出春天生机勃勃的景象。中句一个"硬是"使整首诗有了力度；尾句"咀嚼"是诗眼，是情感和思想的交集点，使诗意有了深度；"青山"变"白云"，内在的诗情与外在的景物和谐地交融为具体可感的艺术形象，画面的境界也因之抹上了一层浓郁的抒情色调，激励着人们辛勤劳作，奋然向前；抒发了作者对春天的赞美，表达了热爱生活和积极进取的情怀。

杨留碗作品五

夜雨

湿漉漉的思念——
下了一宿
心砚上的笔一直未干

素魄清魂鉴赏

思路清晰，情感质朴，余韵轻轻。夜雨不停地在下，思念伴着雨声在心上嘀嗒。"湿漉漉"，这样的雨，这样的思念；既写出了落雨的情形，同时在烘托诗人湿润的心情。随着诗人的思绪，不禁急着去探知下文。"下了一宿"，夜雨不急不缓持续在下，作用在心里。无眠听雨，更凸显出思念之深切。"心砚上的笔一直未干"，尾句提升有力，借景抒情，意蕴绵长。把一丝丝清凉的夜雨想象成为一只只饱蘸思念的笔，奇妙生姿；且渗透着着无声的惦念与关爱。"一直未干"，这样的思念持续发酵，铭刻在心上；感人至深。

刘瑛作品一

瀑布

一旦开始
便没有回头
既是执着也是毫无选择

瀑布的精神
—— 读刘瑛《瀑布》有感

"一旦开始/便没有回头/既是执着也是毫无选择"。短短三行字，却发出醇厚的琴音。音声仿佛指向了人生哲学，由不屈不饶的精神贯穿，汇聚一曲命运交响乐。

如果将标题《瀑布》隐去，"开始"、"回头"、"执着"、"毫无选择" 在文中树立了一个人的行为、精神与心理活动。这令"瀑布"彻彻底底地成为了一个人的形象，以自己特有的属性来展示生命哲思。

瀑布的精神一开始便被描述其中，然而文中并没有一味地歌颂其执着，而是笔锋回转，"也是毫无选择"，蕴含了一种无奈及辩证思考，这为诗歌增添了厚度与深度。确实如此，命运有时并非按照主观意识流淌，在计划的框架内有条不紊。然而，这也是美妙之处，为奏响的人生乐章增添缤纷。

法国作家雨果曾说："世界上最宽阔的是海洋，比海洋更宽阔的是天空，比天空更宽阔的是人的心灵。" 这首诗写的是瀑布，却并不只是关于瀑布。从中引申出的人生哲思为作品中的"瀑布"赋予了力量、精神与内涵。

刘瑛作品二

自序

暴露了自己
也好像
没有后台

丁丁鉴赏

浅读刘瑛《自序》

　　自序，顾名思义，是作者自己写的序。这本应该是一件文雅的事情，然而作者却挖掘了另一个面相 —— "暴露了自己/也好像/没有后台"。从中可以看出作者的逆向思维。

　　诗中一开始便使用具有贬义色彩的"暴露"一词，为文章奠定了讽刺意味。"也好像"自成一段，仿佛破折号一般，用于话题或语气的转变。而"没有后台"确实出乎意料，更深层次地揭露了"自序"的"尴尬"。

　　作者通过三行诗真实又勇敢地展现自己的思考，语言精练、内容阅来耳目一新、趣味十足。

刘瑛作品三

桌子

可以琳琅满目
可以空无一物
任何状态都坦然处之

丁丁鉴赏

《桌子》浅赏

　　心，可以承载痛苦，可以享受欢乐，无论什么状态，它都是鲜活的。诗人的这篇《桌子》仿佛是一颗强大的心脏，"可以琳琅满目/可以空无一物/任何状态都坦然处之"，形象地将桌子的属性与超脱的性情挂钩，升华了诗歌的灵魂。

　　老舍说："生活是种律动，须有光有影，有左有右，有晴有雨，滋味就含在这变而不猛的曲折里。" 这块"桌子"也一样，有丰盛的一面，也有简约的一面，无论是哪一面，它的心都像大海一样，接纳所有的容颜。从这首诗中可以看到作者的乐观主义精神。

　　这块被诗化的"桌子"俨然已经成为了一位智者，宠辱不惊、做事游刃有余、心态平和。文中有对比、有拟人、有隐喻，生动地用简练的语言表达一种禅意。

老厚作品一

三月

竹林外，桃花正闹春
一对紫燕——
暗藏枝间，倾听彼此的告白

秦淮情怀鉴赏

张洁《挖荠菜》有这么一段话："看着他们那双懒洋洋的筷子，我的心就像翻倒了五味瓶，什么滋味都有。"有人会问，"那双懒洋洋的筷子"是拟人呢？还是移就？第一，从内容上看，"拟人"重在将事物人格化，就是把事物当作人来描写；"移就"则是把描写甲的性状词语移属于乙，它不把事物当作人来描写。第二，从结构形式上看，"移就"的语言成分限于表性状的词语（主要是形容词），在句子结构中大多充当定语，一般组成方式是"定语——中心语"；而"拟人"所选用的词语，在句子中大多作谓语，结构通常是"主语——谓语"，主语加上只有人具有的动作去表达某事物。开篇那双"懒洋洋的筷子"，是为了表达饭菜不合口味的情状，并不是把筷子直接当作人来描写。从结构看，"懒洋洋的"是定语，"筷子"是定语修饰的中心语，所以这一句为移就格。

"桃花正闹春"，不难看出，此句是拟人修辞。闹春是一种民间习俗，指在正月由当地的村民自发组织，开展一系列文化娱乐活动，以庆祝和迎接春天的到来，预祝当年庄稼的丰收。桃盛茂其花，诗人把他们当作"闹春"的众人来写，不仅突出桃花盛开的场面浩大、气氛浓烈，而且还烘托诗人对春天的无限热爱和赞美。"一对紫燕/暗藏枝间/倾听彼此的告白"，也是拟人修辞，诗人目之所及"一对紫燕暗藏枝间"，宛转呢喃，用"告白"一词，赋予"紫燕"有恋人般语言和情趣。其实是诗人抒发，在这新时代的春天，有情人相亲相爱、花好月圆的美好祝愿。这是一首拟人化成功的好诗。拟人化的写法，能够让所描写之物显得形象、生动，能够使诗歌具有表现力、感染力，更能够表达出作者需要抒发的情感。

老厚作品二

绿码

心花，烙上春天的印记
便可怒放
便可，芳香四季

丁维诗鉴赏

　　此诗光看题目，就感觉出应时顺意，较接地气。疫情防控，人人有责，唯有绿码高于天，大于地，要打赢这场没有硝烟的战争，仍然要发动群众，依靠群众，让疫情葬送在人民所筑的汪洋大海之中。这首三句诗，主要用了借喻的写作手法，侧面的表达出了持有绿码的重要性，必要性。持绿码者，可"心花"怒放，可带着"春天的印记"，满心欢喜，像春天的花儿一样，像四季长青的树，尽情吐露芬芳，也暗喻象征着一切美好和幸福。

老厚作品三

不一样的清明

油菜花开，迷倒黄裙子
迷倒追蝶少年
迷倒，一段春光

丁维诗鉴赏

　　此三句诗，从开始到结束，就一直不停地在写油菜花和菜花田地的景象。先是写"油菜花开"，再写"迷倒黄裙子"，或许是指迷住了穿黄裙子的姑娘吧。后又写"迷倒追蝶少年"，把浪漫色彩融进了黄灿灿的油菜花花海里。最后"迷倒，一段春光"，把浪漫主义情怀表达无疑，同时揭示出与"清明时节雨纷纷，路上行人欲断魂"的情形格格不入的景象，反差较大，但与题目很着调，紧扣"不一样的清明"这个主题，把清明这个悲伤的时节完全给颠覆了。

老厚作品四

父亲的扁担

当年风光，挑水挑柴挑日月
如今早已下岗
佝偻在仓房的角落里

天涯鉴赏

　　作品通过扁担的象来表达父亲的意。做到意与象完美组合。以"当年与如今"扁担状况的显明对比，呈现诗意，升华主题思想。首句三个"挑"层层递进，道出扁担的风光，即父亲的伟岸。中句以"下岗"转换时空，尾句"佝偻角落"既蕴含深深的惋惜之情，又感慨岁月催人老的无耐。侧面告诉我们，所有的荣誉都是过去的，人生短暂，且行且珍惜吧!

老厚作品五

置身于夏季

躲过冷嘲，也许遭遇热讽
为了那份承诺
我钻进竹林，默默拔节

天涯鉴赏

　　作品构思新颖，以季节为主线，选取竹子的象道出一个君子应该拥有坚持自我，刚正不阿的品质。首节:巧拆成语"冷嘲热讽"点题，且一语双关。"冷嘲"喻指春天，"热讽"喻指夏天。也指本意生活中的境况。侧面道出有人的地方就有江湖，人生有时很无奈。中句:转折过渡。其中"承诺"既指秋的硕果，也指自己的奋斗事业。以这个理想作铺垫。尾句:承接中句升华主题。有了理想就要付诸于行动。"我钻进竹林"呈现出一种淡泊姿态；"默默拔节"旨在表达人生就是一场修行，是一种积攒下来的沉淀。小结:喜欢这种富含生活哲理的作品。由自然折射出社会人生，进而抒发情感。读后令人回味深思！

亚夫作品一

鹰

一艘满载星星的黑夜之舟，在命里盘
旋。山，凄厉的倒影　停泊
落叶外的渡口

素魄清魂鉴赏

　　心弦绷紧，随诗意的苍鹰盘恒。一阵阵悸动，在漆黑的语境中缓缓平息。这首诗的情感基调是低沉的，是博远的，是深不可测的。内心的孤独，内心的惶恐，内心的烦躁，瞬间得到排解，此刻应有叹息声在星光下悠长。"一艘满载星星的黑夜之舟"，把鹰喻成生命之舟，力透纸背的潜行穿越岁月长河，诗人胸襟之高旷，使人惊叹。"山，凄厉的倒影　停泊/落叶外的渡口"，这一句与前一句并驾齐驱，融情于景，渲染心境。整首诗意象丰瞻，手法老道。

小乙作品一

失眠的夜

和星星对弈
我执黑的双眼
光复了所有失地

亚夫简评鉴赏

不言对弈，反说失眠，云抱琵琶，东风遮面，机趣重重，妙不可言。

其实，诗歌本有的面貌是轻盈的、凝澈的，像布满夜空的星星，眨巴着眼睛，闪烁着光芒，在神与人的往来问答中充当着对答如流的信使。它因常常沐浴银河而大放异彩，又因日夜盘桓于人间烟火而心怀悲悯。它敞开心扉，一如无尽的夜空，敞开了无尽的梦想；它睁开双眼，仿佛万家灯火，仰望着鹊桥彼岸。那时，没有争执也没有英雄的悲歌，因为没有占有也没有欺凌者的炫耀。"光复"是一种游戏，一如"失地"只是一场梦。那时的诗歌单纯、美丽，还没有秉承移风易俗、王道教化的重任，也没有被现代所谓的殉道诗人们强加以拯救灵魂的使命。

这首小诗确实给我带来了感叹，因为它的自然、干净，像两粒黑白分明的棋子，投放天空，云翻水涌。

肖益人作品一

黄河壶口瀑布

一壶酒　酿造了千年万年
斟一杯　炎黄子孙
热血在激荡　呐喊

素魄清魂鉴赏

　　壶口瀑布是我国的第二大瀑布，景色壮观、声势浩大。诗人把一腔豪情浓缩在一首三行诗里，文学功底尽显。整首微诗气势雄浑，读起来振奋人心，热血沸腾。"酿造千年万年"，夸张地说明黄河壶口瀑布历史悠久，深入人心。直观地用一壶华夏儿女千年万年酿制而成的一壶老酒来比喻壶口瀑布;立意高远，联想丰富。这样醇厚浓烈的老酒饮上一杯，滚滚黄河即在血液中流淌。中华民族骨子里倔强不屈的声音在呐喊，在向整个世界庄重宣言。黄河壶口瀑布挟着生生不息、一泻千里之势迎面而来;如临其境,如闻水声。运用比喻、联想、夸张等修辞营造意境，尾句情感迸发而出。"千里黄河一壶收"的壮美近在读者眼帘，整首诗歌振聋发聩，诗句沉稳有力。

肖益人作品二

割柴

背一篓夕阳回家
任荆条与蒿草
把小院妆扮得诗意袅袅

飘飘落叶鉴赏

　　从艰苦岁月走过来的人，一读就能想到其中画面，如临其境。这"一篓夕阳"与小院的一缕诗意袅袅相映，画面生辉，空灵唯美。在诗人的笔下没有一丝对割柴的辛苦和贫困日子的抱怨，相反，艰苦的岁月，辛劳的日子，却洗练出一个童年的诗心。字里行间溢出的是诗人对乡村生活的热爱和对逝去的童年日子的美好追忆。质朴温馨，读来真切感人。诗不在天堂，就在这人间烟火里。

肖益人作品三

挂在墙上的犁

锈迹　岂能锈蚀得了希冀
它没忘记　终南山麓
还有待耕的土地

行走江南鉴赏

　　诗人以《挂在墙上的犁》自诩，表达老当益壮，不忘初心的情怀。"锈迹"是时间所致，衰老是生命的必然。而"岂能锈蚀得了希冀"一句，笔锋一转，裂帛有声。生命不息，奋斗不止，顽强战士的形象跃然纸上，令人肃然起敬。"它没忘记终南山麓 / 还有待耕的土地"，承首句导引，揭示了初心所在，爱乡土，爱生活。"犁"的意象与隐藏的"我"完美贴合，坚韧不屈，锐意进取，拓展未来。全诗笔调昂扬，意蕴深厚，明净含蓄，正气浩然。

狗尾巴草

弯弯浅月
一动
故乡就痒痒　梦翘起来

陈清流鉴赏

本诗想象新颖、比喻贴切、意境萦绕，以小见大。诗人每每看见葱郁的狗尾草就想起了故乡的那片热土，对他来说，它是故乡热土中最美的印象，最深的记忆。

狗尾草虽然是很普通的一种植物，但它有着顽强、甚至有些许"霸气"的生命力，用它代表故乡象征着勃勃的生机，越来越美好的祝愿。"一动"、"痒痒"、"翘"，一连串的无风三尺浪，这些词的运用，又将"狗尾草"赋予了新的意象意义——狗尾草，就像可爱的小狗，摇着尾巴与自己亲近，一见到它，心就"痒痒"，思念和美好祝愿就"涌"了上来，"翘"字是神来之笔！

当然，从另一个角度来欣赏，也是对故乡，对情人的一种思念。狗尾草下垂的样子，就一轮弯弯的浅月，这轮浅月又有许多毛茸茸的刺，如果我们拓开想象，这个浅月像什么——毫无疑问：像女子的眉毛，眉毛是一根根的与狗尾巴草的刺非常相似。因此，我们可以从像浅月的狗尾草上，引申出女子、眉毛以及对故乡恋人思念的某些场景，将想象进一步铺开，推出新意。

狗尾草如浅月，浅月如女子眉毛，草动似眉扬，撩拨心湖，触景生情，思念如潮水翻涌，触类旁通，诗有千解，各人可以从诗句中读出不同感受，不同情境，从而使诗更具灵动、新颖的气质，值得老师们大胆尝试。

郭岗峰作品一

你

你一来，我就回到春天
你一笑，我就在桃花枝绽放笑脸
你流泪了，我就抱着月亮躲在云层里
一起哭

王立世鉴赏

　　这首诗抹去了多余的背景，没有边际的世界仿佛只剩下
"你"与"我"这两个爱情主角，虽然没有一句海誓山盟，但
惟妙惟肖地写出休戚与共、生命相依的爱情感悟。爱情像一个
函数，一头随着另一头变，充满鲜活的生命动感。爱情像"春
天"和"桃花"一样的美好，也有泪水引发的偷偷哭泣，同样
呈现出怕对方担心的美好。静谧是这首诗的主基调（哭反衬出
静），温暖是这首诗的主色调，浪漫是这首诗的主情调，纯净
是这首诗最鲜明的特质。这首诗成功于情感的真挚，毫不遮掩
的真挚，充满人性之善的真挚。艺术上选择常用的意象，但因
注入刻骨铭心的情感，表现出超凡脱俗的精神气象，就连那些
普通的动词在特定的情景中也熠熠生辉，闪躲出爱情耀眼的光
芒。

郭岗峰作品二

落日

那种无限之好被放大
最终选择了黑暗
过不了多久，又会捧出大海、地平线

王立世鉴赏

　　落日有坠落的意味，有消极的情绪。我好奇的是，诗人为什么一开始就说它"无限之好"？李商隐写过"夕阳无限好"，是在心情不好的时候，突然看到了光明。郭卿的无限好，表达得是本来没有那么好，清醒地意识到"被放大"的唯心主义，难逃"最终选择了黑暗"的残酷现实，是对"被放大"的嘲讽和否定。"最终"并非"最终"，世上没有绝对的事情，"过不了多久，又会捧出大海、地平线"。本来是落日变成朝阳，诗人却说落日"捧出大海、地平线"，正话反说凸出落日由落到升、由黑暗到光明的力量反转，明示世界充满蓬勃的希望。这首诗情感的一波三折，使一首三行诗波澜迭起，光明与黑暗、希望与失望交织于一体，充满思想的张力，启迪我们辩证地认识人生的黑暗与光明，身陷黑暗时不要悲观失望，置身光明时也要有忧患意识，既要坦然地面对现实，又要乐观地看待命运。

郭平安作品一

诗人

提起穷笔，将自己最富有的情感
刻在纸上，烙印一生
珍珠般闪亮的记忆

冰凌鉴赏

　　有人说过："诗人是物质上的乞丐，精神上的富翁。"此，乃真言也。自古以来，诗人大抵如是。真正的诗人，绝非仅只知舞文弄墨之辈。亘古亘今，泱泱华夏，乃诗之大国。笔者向来既推崇柳宗元的"文者以明道"的文学思想，又推崇他的"文以行为本"的创作人格说。二者皆顾，为天下苍生而使命必达也。可见，诗人的笔管是风骨，是劲节，血管涌喷的是真情，是豪迈。穷且益坚，挥毫泼墨，也要烙印自己的诗意人生。此诗立意显明，励志启人，值得点赞！

青果作品一

蒲公英

任践踏千百次
起身，仍举着
飞天的梦

简介鉴赏

　　一首内涵深邃的微诗。说到野草，我们会想到"野火烧不尽、春风吹又生"。蒲公英，同样有着顽强生命力的野草，在青果笔下，被赋予了更丰富的精神内涵。

　　第一行，"被践踏千百次"素描般删繁就简的语言，一笔勾勒出蒲公英卑微的命运。第二行，用"起身"二字，展现触底后的反弹，韧性十足、刚劲有力，阴郁的画面霎时被点亮。"仍举着"，意指坚韧不屈、虽死犹生的灵魂未倒。第三行，进一步深化主旨，有意识的将"飞天的梦"独立成行，将蒲公英绒球状花序被风吹散后，白色冠毛随风飞舞比作飞天的梦。诗中能指和所指贴切运用，"蒲公英"类比命如草芥的人们，白色冠毛飞舞类比"飞天的梦"；比兴手法自由过渡，触景生情，借花序的飞舞起兴，烘托主题，不晦涩难懂，又意蕴悠长，增强了诗的表现力。讴歌了不屈不挠的奋斗者，平凡而伟大的追梦人。

　　值得一提的是，镜头语言的呈现，从高角度俯拍转换到低角度仰拍，再到鸟瞰镜头的运用，诗意的空间由小见大，读者随之获得微入宏出的别样感受。

青果作品二

鼓

呐喊
为了前世的
鞭打

简介鉴赏

这首诗赋予鼓以人性，有前世有今生。我们知道，鼓面是牛、马、羊皮做的，鼓的前世是当牛作马被奴役的一生，是默默俯首甘被鞭打的一生，在漫长的付出、担当、忍耐、绝望后，痛下剥骨抽筋扒皮的决定，幻化作今生的鼓，发出低沉的余音悠长的呐喊。诗人突破事物表象，让一个孤立的事物——鼓，摆脱其自身属性，具备多元而广阔的命运，让诗意的空间无限扩大。

人世间，小到一个人、一个团体，大到一个民族、一个国家，在不同的时代、不同的地域，人类经历了什么呢？经历了怎样的切肤的伤痛和不甘的抗争呢？

鼓，有时候就像是千千万万苦苦挣扎的人类的镜像，用一生去否定前世的生存哲学，唤醒来生的生存智慧。而有的时候，人类甚至不如一面鼓，无视于过去，混沌于现在，茫然于未来，在井底在消极在无为中走完一生，"何曾留着像游丝般的痕迹呢？"

这是一首典型的理性诗，却又在理性中蕴含着诗人对人间苦难的悲悯情怀。字面上站在一个历史的旁观者的角度，以冷峻的笔调穿越古今、直击灵魂；言语外，感同身受万物苍生，哀其不幸、怒其不争的情感在纸上升腾。全诗仅 9 个字，是诗人以笔作枪射出的 9 枚子弹，从耳边呼啸而过，产生振聋发聩、慷慨淋漓、引人深思的效果。

青果作品三

柿子红

阳光越积越厚
心
软了，甜了

简介鉴赏

微诗篇幅小，与古诗类似，每一个字的选择都需十分讲究，该诗把这一特点体现得比较突出。

首句"阳光越积越厚"所营造的意象，是用雪或其他可堆积的有形物质隐喻阳光日复一日的累积，让阳光变得有质有量，作者和读者之间顿生心领神会的感应。这种效果怎么产生的呢？与诗中字的选择相关。"积"，可以是堆积，也可以是累积。可供堆积的物质如蓬松、柔软、晶莹的雪，可供累积的物质如无色透明的、温暖的阳光。堆积→累积，从可见可触的直观，推理到不可见不可触但可感知的抽象。"厚"同理，让阳光的光合作用这种抽象的事物变得形象直观。

"心"字独立成行，不仅调整了诗的节奏，形成转折，而且使两组画面像电影蒙太奇般自如切换，由远景切至近景，柿子瞬间跳脱了植物属性，让诗意飞起来。柿子像人心，在如阳光般涓涓倾泻的温暖抚慰下，"软了，甜了"，即使再坚硬的心也会柔软起来，再苦痛的灵魂也会甜蜜起来。

一首《柿子红》美而温情，画面祥和唯美，暗藏的喻意又饱含深情。我仿佛看到夕阳下柿树边，老奶奶躺在摇椅上，微眯着饱经世事的目光打量熟透的柿子。进而从平常的光合作用促进植物生长的客观规律中，提炼出人心可以被爱温暖融化的朴素道理。

青果作品四

校铃

一口童音
唤醒我
锈迹斑斑的往事

简介鉴赏

"形容不识识乡音，挑尽寒灯到夜深。"是李昌祺从乡音里捕获的乡愁。"一口童音"是青果被铃声唤醒的校园情结。首句先声夺人，从能指呈现的具体声音画面，让所指自然发散，引导读者运用"人生经验通感"和"文本通感"展开独有的联想想象。

学校，和故乡一样，是多少人内心深处最柔软的存在。校铃如红线，贯穿年少时光，勾连读者思绪。诗在"锈迹斑斑的往事"中结束，而诗意已漫延，朦胧的光影里，有书声朗朗，有追逐嬉戏，有胜利后的拥抱，有委屈红的双眼，有徒步一身泥的母亲送来的咸菜加馒头，有成绩册上班主任殷切的期终评语……

"作者之用心未必然，而读者之用心何必不然。"三行的篇幅，语言极其克制，却犹如一壶充满灵性的美酒，酿者与饮者主客观因素叠加、融合、发酵，心灵产生同频共振，形成多元的空间、氛围和意境。

素魄清魂作品一

云台山

静若处子
手捧日月经卷
俯视人间仙境 一笑倾城

秦淮情怀鉴赏

意象，对于写诗的人，再普通不过的技术术语，一般人所理解的内涵，就是一个感性的图像，比如一幅绝美的画面、一尊鬼斧神工的雕塑等等，面对这平面或立体的写作客体，进行天花乱坠地刻画、描述（只停留于表面做文章）。但真正的诗人，应该像素魄清魂老师那样，要透过实象，发掘其寓意、喻意、象征意等更深广的暗涵，甚至有潜意识的幻化本能，当与客观世界发生联系时，会不知不觉中创造性地唤醒灵感，有一种深入自然物深处的感觉。诗人在这里没有写云台山的山岳高峻、云雾缭绕、沟谷溪潭、飞瀑流泉、奇峰异石，而是通过与泰山相比较，内心自然而然发现，泰山像一个伟岸的男子汉，云台山则像一个柔媚的女人，她看到的已不是山，是幻化后的女子形象，成为一种诗歌创作可贵的契机。

"静若处子"，喻意中深含云台山具备少女的特质：仪静体闲、钟灵毓秀、婀娜多姿。可谓"质傲清霜色，香含秋露华。""手捧日月经卷"，就是把岁月折成经卷，昼夜就着日光月色诵读，让我们明心、解意、修定：芸芸众生，自行自安，前世今生、涅槃轮转；浮云终究飘散，情怨似水流年；远离尘埃喧嚷、望及流水潺潺。"俯视人间仙境/一笑倾城"，一个"俯视"，又把读者的视线从云台山形象转移到现实社会中，当今我们周遭，见的是青山绿水，行的是康庄大道，穿的是整洁舒适，吃的是营养健康，仙人都羡慕的生活。"一笑倾城"是发自内心的笑，而这种笑最美、最快乐、最昂贵。

贾平凹说过："艺术的最高目标是在于表现作者对宇宙人间的感应，发掘最动人的情趣，在存在之上建构他的意象世界"。素魄清魂老师正是这样，一直不断在追求这苍茫旷达的东西，追求自己的成熟。

素魄清魂作品二

泰山

肩挑日月
打通任督二脉
揽尽天下奇松怪石流泉

秦淮情怀鉴赏

　　摄影，有些人拍摄的作品叫照片，有些人拍摄的叫艺术。称之为照片的也很美，树木郁郁葱葱、山峦连绵起伏、云朵赤紫交辉；而称之为艺术的，除视觉独特、构图合理、层次丰富、色彩自然以外，还通过用摄影语言，用形象来表现自己思想情感和观念。这两者有着极大的区别。写诗也一样，有的诗只顾写景，充其量只是华丽辞藻的堆砌；而有的则通过借景抒情，表现出景外独特的思想情感。若把泰山看成孤零零的画面，它就是现实世界中事物的概念；若要通过联想，挖掘其中暗涵，与个人感受和时代倡导的精神保持密切联系，它就成为感性的物迹意象。由事物的概念向物迹意象的过度，也是诗歌艺术转换过程。这首诗，就是艺术转换的一种很好的范例。

　　这首诗，打破常规，先抒情，后状景。泰山素以"拔地通天之势，擎天捧日之姿"闻名于世，"肩挑日月"，此拟人兼夸张的语句，赞颂泰山之雄伟，犹如顶天立地男子汉的形象，映入脑海。浪漫的语言背后，内蕴着担当的沉重和昼夜的辛劳。"汗如泉，劲如松，顶烈日，迎寒风，春到夏，秋到冬"，挑山工就是"肩挑日月"的一个又一个"泰山脊梁"。"任督二脉"，夺天地之造化，凝聚精、气、神，中国古代的中医认为，"打通"后，可使人气血通畅，神清气爽。在武侠小说中，打通任督二脉就意味着脱胎换骨，武功突飞猛进。诗人这里的引用（引用也是一种修辞手法），更进一步提升泰山男子汉形象，不仅能肩挑重任，还可以"神功盖世"。接连"揽尽天下奇松怪石流泉"，看上去说明泰山"神功"所在，实际是描绘泰山景致，以景衬托前面的抒情，讴歌泰山不愧是五岳之尊。由此可见，诗人没有直接形容泰山气势磅礴、蔚为壮观，而是娴熟地运用修辞技巧，艺术化地将泰山与心中标准男子汉形象捆绑在一起，给读者无限可能的想象。

素魄清魂作品三

暗香

一朵晨曦 二抹雁影 三行素笺
潜入心底勾兑月光四钱
酥软静寂的春夜

秦淮情怀鉴赏

《乐记》里说到："人心之动，物使之然也"，也就是说，"我"感情的生发离不开外"物"的作用，这叫作诗歌中物我关系的"由物及我"，当然物我关系中还有"由我及物"与"物我两忘"（这两种关系今天暂且不谈）。无论诗中有没有出现"我"字，作者作为体验者是存在的。由物及我，接近的通俗意思是因景生情，是通过由外而内的情感导向实现的。

"一朵晨曦/二抹雁影/三行素笺"，量词的移就，活跃了诗性。"我"作为体验者，清晨起床，打开窗幔和纱帘，眼前两排大雁刚刚掠过，一缕晨曦从春树的枝桠中折射进来，照在写字台空白的信笺上，勾起了对亲人、或友人、或有情人的盼念，萌生鸿雁传书的冲动，这样的抒情效果显然是通过由物及我关系达到的。"潜入心底勾兑月光四钱"，一二三四数字的巧妙搭配，起到了由物及我，由物象转化情感向广度、深度不断延申的作用。"潜入心底"是"及我"将抽象形式变为具象形式的一种表达，"晨曦"何尝不是岁月？"雁影"何尝不是履历、阅历？"素笺"何尝不是文人的知性？"勾兑"是一种调和，这几样调和出来的馥郁，从暗处袭来，摄人心魄。同时"勾兑"也是一种稀释，更是将盼念的浓烈，稀释成淡淡的回忆。"月光四钱"，心底的月光明亮而执着，若把这再加进去，会让自己不畏惧黑夜和风暴，且耐得住孤独寂寞冷。"酥软静寂的春夜"，"春夜"被"暗香"熏得"酥软"开来，体验者的"我"溢出愉悦的情愫，呈现了一种超然的精神境界，引领读者与诗人精气神贯通。

此诗，打破了景和物蕴含的美学惯性意义，重新做了一次最亲密的体验，开辟了创新的情感向度。

非马作品一

笑涡

来
让我们斟满生命的美酒
乾杯

盛坤鉴赏

    这首诗标题直入主题，引人入胜，切入点独特、新颖；容易引起读者共鸣，而欣赏不同会因人而异，也是其精彩之处。

    第一行：来，是个动词，一行一字。有点打招呼的意思，作者与读者互动，起到吸引与引导作用。

    第二行：聚焦。我们，瞬间拉近了彼此的距离；也可能是指情侣吧。第一眼先勾画出轮廓，然后进一步展开，比喻非常形象、具体，也是这首诗的画龙点睛。说明作者从生活中，微观上观察得非常细腻。

    笑涡多用来形容美女的妩媚，比如经常说：凤眼、柳眉、一笑两酒窝。诗人抓住了这个普通的现象；可以想象：在好似一朵桃花，由笑的漩涡而形成的酒杯里，再斟满香喷喷生命的美酒，寄托了幸福的期许和一切美好的愿景，这该是一种何等诱人、惬意，又美妙的情景画面，举起这杯酒嗅一嗅，就已经够迷人的了。

    第三行：高潮，结尾。这是喜庆聚餐，或新人的交杯酒吧！举杯碰盏，甚至可以听到、看到相互祝福的音容笑貌。不用乾杯，未饮就已先醉；这又从宏观上，给人以抽象的无限联想空间和感官以及精神上美的享受！

    这首诗简洁明快、雅俗共赏，魅力四射、回味无穷，竟写得如此的美；仅用三行，只有13个字，不得不佩服这神笔之功！

非马作品二

砖

叠罗汉
看墙外面
是什么

盛坤鉴赏

非马原籍台湾，他的《砖》按台湾的排版习惯是这样的：

看

是墙叠
什外罗
么面汉

砖，如果随意堆砌是构不成建筑物的，当然文字乱七八糟组合，同样也不能称其为诗。欣赏这首诗，犹如一幅具体的画，然而也有其抽象的含义。用砖可以垒砌一面墙，建起一座楼房，从表面能看到什么呢？看起来也像是叠罗汉，在非马英文诗中用的是 Pyramid，意为金字塔，尤其是在几千年前的古埃及，一定需要计算并遵循一定原理，否则绝不会坚持到现在，应该早就倒塌了。

叠罗汉的原理即均衡，呈锥体形；垒墙、杂技表演或建造金字塔等，处处都要遵循这个原理。非马先生这首诗就巧妙的运用了这个原理。中间文字数多（高度），两翼均低于中间，而且对称。

引深一步，人体当然要比搭建叠罗汉复杂得多，一定要维持生理平衡，才能健康长寿。生存、做事、人际与社会关系也需要保持平衡，否则就会遭受挫折、失败，甚至丧生。从这个意义上来说，人生与社会都可以看作是个搭建叠罗汉的过程。

文字简洁、形象生动、角度独特和寓意深刻。尤其是最后一句"是什么"？给人以想象空间，回味无穷。

周瀚作品一

枫叶

在风中闪烁
争比谁更辉煌
最后都坠落尘土

黄炽华鉴赏

枫落吴江冷 文词夸耀蚩

微型诗之难，是以极精炼言词，道深微或博大之义。刘勰在《文心雕龙·隐秀》言："情在词外曰隐，状溢目前曰秀"。余味曲包，留予读者去思考。那么，周瀚的《枫叶》，寄托什么深微之意呢？

枫叶，深秋之时，嫣红欲醉，美则美矣，可惜晚矣，它最终飘落尘中，不能与梅花"香如故"相提并论，此乃自然之物。然诗人更深一层要讽喻何事呢？於是我们联想起"枫落吴江冷"诗句。据《新唐书·文艺传·崔信明》载，崔信明向郑世翼出示所作百馀篇诗，"郑未读毕即说：'所见不及所闻。'遂抛入水中，引舟而去。"

崔郑二人，乃文人相轻典型。然"枫落吴江冷"已成为讥讽诗才笨拙诗思有限的贬义之意。故陆游《秋兴》曰："才尽已无枫落句，身存又见雁来时"；辛弃疾《玉楼春》曰："旧时枫落吴江句，今日锦囊无着处"。如今香江文坛有人岂非文才囊空如洗，还在作自我夸耀；或频频出示旧作，显示其"经典"？这与崔明信自我骄矜还有何异？遗憾的是，更有一些不学无术者，一味奉承。这岂非如枫叶，"在风中闪烁/争比谁更辉煌/最后都坠落尘上"呢！

秦牧在《妙语如珠》谓："精彩的文学作品往往妙语如珠，佳句叠出"。希望文坛朋友，既有佳句，又有佳篇。"远游凌绝境，佳句染华笺"(杜甫)，再不要用殷红的枫叶作装饰，那是笨蚩的自欺欺人。这是我读周瀚《枫叶》的一些感悟吧！

周瀚作品二

两只蝴蝶

缠绵在鸢尾花上
那是从十八里长亭
飞来的？

黄炽华鉴赏

缠绵鸢尾寄意深微

周瀚《两只蝴蝶》诗曰："缠绵在鸢尾花上/那是从十八里长亭/飞来的？"此诗寄意深微，蕴含民间经典爱情故事，令人回味不已。

鸢尾草的花，在中国，常象征爱情和友谊，红色象征热烈，紫色象征思念；在德国，宝蓝色象征神圣；在希腊，语为 iris 即爱丽丝，是彩虹。贝多芬有钢琴曲《Für Elise(献给爱丽丝)》。它第一句以 C 调开始加一升半音，仿佛在诉说"你知不知我爱你？"故周瀚的這首诗以蝴蝶在鸢尾草上缠绵，写情爱不言而喻。

然而化蝶，我们自然想到梁山伯與祝英台的故事；由十八里长亭，想到十八相送……这是爱情千古絕唱。两人最后化蝶，表达了对美好爱情的向往以及对婚姻自由的追求。因此，18 个字意含如此深微蘊富。这就是诗短而余味曲包。笔者谓，微型诗也应如是观这般写才可曰"微型"也吧。

周瀚作品三

故乡的红茶

每一呷
都勾起我
辛苦甘甜的往事

徐国强鉴赏

意蕴悠远见真情
----读周瀚《故乡的红茶》

第一次读周瀚的三行诗《故乡的红茶》，让人有惊喜和意会的快感。

请看《故乡的红茶》第一句，"每一呷"就起句不凡，既直白，又颇有力度。代表每一次，每一口。呷是动词，也可以看作是动名词，表示小口小口地喝，也就是细细地品尝。于是，作者在每一次品尝家乡的红茶时，甚至在每一口品尝时，都会为红茶的辛苦甘甜的味道，而勾起对故乡那些辛苦甘甜往事的回忆。这"辛苦甘甜"四字，意含双关，既表示了家乡红茶的味道，又表达了作者在故乡生活的那段时光的辛苦甘甜的难忘往事，使诗歌产生了意蕴悠远的效果。这首诗歌的这一奇妙效果和结果，都是从"呷"字产生演变而来，所以说，"每一呷"，就是这首诗的诗眼了。作为文字短小精干的微型诗，如果用字造词能达到一语双关的效果，使诗歌包含更丰富的内涵，更充实饱满，无疑是非常难能可贵的。写到这里，我想起了清朝词人纳兰容若著名的诗句："人生若只如初见，何事秋风悲画扇"。文字那么平实，那么平常，却已经走入了经典。

乡愁是一首诗；乡愁是一杯茶。短短的三行字，作者完成了从普普通通的喝茶，到引起眼前的感知及遥远的记忆，文字朴实，语言直白，意蕴悠远，令人意会和回味不尽。说明了作者的文字功力颇深，用词贴切形象而又平实无华。也说明好的微诗一样能表达较复杂的思想内容，并直达读者的心扉。

周瀚作品四

山行

浓雾蔽峰
山路隐现
似真似幻，升向遥远的天际

徐国强鉴赏

千回百折一路励志
----读周瀚读周瀚《山行》

周瀚《山行》这首小诗，是一首励志诗。这一题材写的人比较多。作者采用了另一种表达方式：写上山所遇所见，从天气雾障、到曲折重峦、再到如梦如幻，层层推进，最后经过行山者穿越重重障碍的努力攀登，终于到达山巅，看到无限风光的最高境界："遥远的天际"。

人生，又何尝不是这样：艰难险阻，千回百折，百折不饶，不饶不屈，然后可以到达光辉的顶峰。

层层推进的布局，对于较多行的诗歌，比较普遍比较容易，但对于三行诗，就比较不容易了。作者在这里用了两行半，然后才直奔诗歌的主题。当然，第三行的上半句，也可以理解为到达顶峰有点"似真似幻"。太神奇了！真是不可思议啊！我终于到了！

古人强调，诗贵其有深意；诗重其性情；诗中见志向等等。读周瀚的诗，读者经常能体会到诗中的惊喜。

白芷作品一

窗景

牛在吃草
送葬的队伍过来了
牛，还在吃草

荒漠甘泉鉴赏

　　白芷的诗作《窗景》以小见大，动静相宜，对比中让人仰天长叹。整首诗语言质朴，首尾句的"牛吃草"很好地运用了重复的力量，且体现出相对的静态画面，不经意间给人以大自然那种不动如山的感觉，诗的张力极强；颈句的"送葬"虽缓慢却给人生命如电般的动态心理暗示，沉重而苍凉。《窗景》在这种动静对的比中让人思索生命，给人新的启迪。"一首意蕴丰沛的好诗能将奔跑的世界拽住"，此时此刻《窗景》框住了我们的内心情感，定格了读者的精神世界。诗写当下，《窗景》利用"牛"和"队伍"的两个小小事象，反映出生命的大主题，这种即景之作是成功的，也是现代诗歌所应当提倡的。

白芷作品二

晾衣绳

看似纤弱
一肩挑起内外
晴也为你，阴也为你

素魄清魂鉴赏

　　本首微诗，没有华丽的辞藻，却拥有触动灵魂的素美。诗人凭借最质朴，最简洁的语言，以拟人的笔触，展开叙述，语意双关。赞美的不仅是晾衣绳，更是与晾衣绳息息相关背后的那个人，或是母亲，或是妻子。无声的感动自然流露，感人至深。

　　"看似纤弱"，首句从晾衣绳的外形上开始刻画。意在言外，使读者自然而然会联想一个女人的身影。"一肩挑起内外"，拟人到位，找到升华主旨的契合点拓展思维。"晴也为你，阴也为你"，一种无私奉献的精神实质得以弘扬。

　　以接地气的语言，收获具有影响力的艺术效果，对于微型诗的推广是一剂良方。

白芷作品三

那朵，飘来的云

你的笑脸
动漫着留守的仰望
巢空，心不空

燕荣鉴赏

这首《那朵飘来的云》，题目很美，以虚待之，给人以美丽的想象和猜测，且看："你的笑脸/动漫着留守的仰望"，哦，原来"你的笑脸"这就是那朵我们渴望知道的"云"幻化的，那是出门在外的孩子的笑脸，正在被一个留守老人仰望，"云"动漫，仰望的笑脸亦随之动漫，他们相望着如在梦里相见，最后一句"巢空，心不空"，因为心中有爱，有盼望，所以即使巢空了，心却被思念填得满满的。

这首诗虚实紧密结合展现了一个电影动漫似的特写画面：云朵动漫着孩子从小到大的每一个笑脸，老人看着也笑着，足见这位老人的宽厚慈祥与善解人意，他很理解孩子们的忙碌艰辛，把爱藏在心底，当作精神食粮，看似过得也很充实，但更让人们爱怜和同情，希望他的孩子多回家看看！这首诗以乐景写悲情的艺术构思真是炉火纯青！

刘明孚作品一

青草

有露土的地方就有青草
用微弱的身躯
担负起世界上最宏伟的工程

彭建功鉴赏

微诗中的小事物大世界
—— 浅评诗歌《青草》

诗人刘明孚的这首三行诗，语言凝练，字字紧扣，句句递进，启承延转，把诗写到精致，寓意深长而饱满。语言的张力和想象空间得以猛然释放和扩张。

青草虽身躯微弱，却手挽着手，根连着根，伙伴遍地天涯海角，有着顽强的生命力和乐观的精神。青草默默生长，进行光合作用，净化空气，绿化环境，这就是世界上最宏伟的工程。

欣赏作者的睿智和想象，从发现到挖掘，再到感情的提升，文字间充满风雨和快乐，欣赏学习佳作！

刘明孚作品二

油菜籽

只要有施工破土的机会
油菜就会重见天日
掩埋无法扼杀种子的生命

王志光鉴赏

灵魂不死
——刘明孚三行诗《油菜籽》赏析

　　一粒胡麻种子大小的油菜籽微不足道，在野草和厚实的土层压迫下，似乎永无出头之日。但是，只要一有松动，那小小的种子便会破土而出，挺胸抬头，开花生长，屹立于世。

　　种子可贵，贵在顽强不屈；生命伟大，源于种子的初始力。重力可以压迫，但种子的内聚力若核能一般，终将冲破掩埋，幻化成新的生命。生命轮回，生生不息；灵魂不死，凤凰涅槃。三言两语，刘明孚便揭示了地球生命的本质。

廖仲强作品一

春晨

鸟语声润开片片寂静
绿叶的眼睛亮了
噙着一粒粒湿润水晶

幽兰鉴赏

　　诗人描写的景象细腻的令人不忍重读，唯恐惊飞了轻灵的诗意和绿叶上的露珠。《春晨》是在清脆的鸟鸣声入笔的，诗人不写鸟鸣婉转，而是用一个"洇"字湿透清晨的寂静。更值得喝彩的是为 1、2 句铺垫了极妙的伏笔"……绿叶的眼睛亮了/噙着一粒粒湿润水晶"。将绿叶上一颗颗露珠视为亮晶晶的瞳仁，拟人出彩令人叹服！这首《春晨》在审美感受和再造想象中水灵灵的呈现在读者眼前，赋予空明寂静的清晨以无限水润诗意。

　　只有准确把握语言的运用才能有神来之笔，这首透过春晨景象抒发情致的微型诗，似细细的心灵泉水顺着笔尖流淌，如不是诗人细心观察和动情投入，是写不出如此水润灵美，拟人想象精彩至极的诗句的。可见诗人深谙披文入情，以诗抒怀，由表入里，营造抒情美、诗韵美所产生的艺术感染力。

廖仲强作品二

梨花落

一笔飞白
勾
勒　春风

幽兰鉴赏

　　首句直接切入主题，以"一笔飞白"描写梨花飘零的景象，丝毫没有被风吹落的怨尤，而在凋零那一刻却大度从容"勾/勒　春风"的弧度 。大气质感，精凝有味，8字生动素描，给人诗意干练、意境丰盈之感。

　　读《梨花落》禁不住想起清人钱泳的诗论："咏物诗最难工，太切题则粘皮带骨，不切题则捕风捉影，须在不即不离之间"。这首诗成功处在于充分发挥联想和想象，在审美再造时对梨花凋零进行毕肖刻画，象外显意，在不即不离间为读者提供丰富的想象空间。

廖仲强作品三

老井

一段长长的岁月相牵
汩没心底的思念
每次提起来　还是那张甜甜笑脸

幽兰鉴赏

　　"长长岁月相牵"、"心底汩没"、"提起来"、"甜美"，这些词语的运用，都合力巧妙的为主题《老井》服务。长长的井绳，打捞的是井底汩汩的思念，而提上来的是一桶桶甜美的家乡水。诗语生动美婉，情感真挚意境丰盈，上下气息通畅，毫无凿痕，借老井抒发恋乡之情。尤喜尾句精彩提升，老井之水，每一滴都浸润着熟稔甜美的乡音。

　　对故乡的深爱之诗，是由心灵泉水浇灌出来的，无需生搬硬套，更无需刻意拔高！它是游子依心而行的本色之情！

洛芙作品一

始终

这条银河长川
你并非没有起点
却也并非永无终点

秦度鉴赏

　　洛芙的《始终》这三行诗，是从点到终结的图案，内含极其残酷。首先终结点有了，就是有计算的长度问题，在标签的意识中产生共性。也就有了共识中的公共立场相伴诗现场。这首的第一句，这条河很长，就有了计量单位，表明方向感，和汇合的结点，决定了诗的深度部分。长度属于计量单位的一个名称，包容性得到允许，还包括诗的高度，其向性力主体的意识，达到了姓高的天空之外的计算力。

　　你并非没有起点，第二句的注册了起点说，起始的平面，通常就是期待的总重力，在起点了向前，到达的哪里并不重要，重要的是起点学问，试想，起点如果进行剖面图的计算，起点的就有了激情光线，在向前照亮远去的水流，方向是走向天际一样的地方。

　　也并非没有终点，是肯定了河流行为，是标准答案，向前的终点，在结束处，终点的意义拉升了生活节奏感，终点，判断力度的深度，诗意盎然的进行曲，就是在烤问，前方的固定时间。

　　这首诗的大容量，宇宙的宽宏大度，是这首的核心部，明亮，且有河流一路走的全想法。

洛芙作品二

梦

如果，梦是那么的容易清醒
那么，它的名字
就不叫做是梦了

怀鹰鉴赏

清代诗人魏子安的《花月痕·第十五回诗》中开头有这两句：“多情自古空余恨，好梦由来最易醒。”这两句诗是容易理解的，只要是人，都会做梦。也许是甜蜜的好梦也许是恶梦。不管好梦恶梦，都来自于我们的潜意识，折射心里的某些不欲予人诉说的“秘密”。好梦很快会醒，坏梦却不易醒，这是没有规律可循的。

洛芙用了“如果”这个不确定的连词，带有假设的意思，整首诗建立在自问自答的基础上。实际上，这不是问题，故而也没有答案。

“如果，梦是那么的容易清醒”作者用“如果”颠复了“好梦由来最易醒”这句名言，重新定义“梦是那么的容易清醒”，跟着，她就把“梦”这个名字从潜意识中抹掉了：“它的名字/就不叫做是梦了”，那么，它该叫什么呢？看来，作者反其意而行之，要说的不是什么好梦，但也不是恶梦，而是一段连她自己都无法捉摸的谜团，究竟那是什么呢？作者不说，我们只能猜测。梦这个虚无缥缈的话题，自古以来总是迷惑人的。

洛芙作品三

所在

一种别致的概念
不是地图上所属
而是心灵上所属

雅诗兰鉴赏

　　《所在》这首三行微诗充满着哲学思想和人生的思考。她采用了 A//B/C 的格式，向读者提出了一个「概念」，而这个概念因为「别緻」不得不让读者继续追问下去。这个「概念」它属于用肉眼可见的物质世界吗？古希腊哲人提出过「世界的本源是什么？」「万事万物如何存在？」「何物存在或不存在？」等这些古希腊朴素形而上学的研究课题，地球上的人们至今还执着地探索着这些答案。而作者笔锋一转并告诉我们，这别緻的概念「不是地图上所属」，在物质世界里，是找不到答案的。作者大胆又爽快地告诉了读者：「而是心灵上所属」。而这个答案妙笔生辉之处就在于，这个答案不是结束，而是思索的开始。它让我们浮想联翩。属于心灵上的那些「别緻的概念」，有知识的积累，有生活的沉淀，有避静时抛开一切的纷纷扰扰去默想。那上智的灵光像一道闪电照亮她的心灵，她的整个心身灵都沉浸在来自上智的灵感之中。这是在地图上找不到的，在物质世界里找不到的，这是上天的智慧与心灵碰撞出来的那一瞬的「概念」，因为它是独一无二的，因此它「别緻」。整首诗一气呵成，即玄幻又是一个朴素的哲学思考。不仅让读者陷入深深地思考之中，而且又充满幻想。这首小诗语言朴素却颇具魅力。

秋林作品一

拂琴

你　轻拨琴弦如泣如诉
悠扬婉转抚慰心灵
知音交谈

蒋雯鉴赏

蒋雯评析：诗题"抚琴"由一个动词和一个名词构成，仅两个字词性就不一样，一幅画面由此搭配才瞬间活现，这是亮点之一。此诗诗题是整首诗之开端序幕，之后正文马上进入了高潮，此乃亮点之二。"轻拨"与"如泣如诉"，"轻拨"又与"抚慰心灵"又打造了一种因果关系，让我们看到抚者不仅为弹奏而自悦，更为觅得一知音而弹诉，"诉"在诗中构成的重点是此诗成功之关键。有借琴音诉心音之意，这是人类高段位的灵犀，认知的契合，三观的统一无需其他，心念即可。让人马上想起伯牙子期的高山流水，正因这种灵犀罕见人间才尤其渴望。诗读罢后，由彼及此，自然会让很多人联想到自己，为人间一知音生出万千感慨。这首诗语境朴实，是一个入画又出画再入画不断循环的过程。不知不觉中，我与弹者之心也合二为一了，那如诉的期盼是否能真正抚慰心灵，而更多的无奈一直在时空中萦绕不散……

秋林作品二

思念

丝丝细雨飘洒在湖面
白衣少女倒影水波中
十年风景依旧

蒋雯鉴赏

　　秋林老师的诗擅用素描写法，淡雅素静是其特点，三句中两句用于刻画雨中之湖景与此景中白衣少女的形象，飘飘洒洒的雨水和白衣是诗中的主色调，一动一静相互应衬出一副湿漉漉的画面，最后一句的收尾不由让人怦然心动，原来十年不变的风景是因为思念不曾变过，才定格出淡淡的忧愁。更明了诗人为何借雨水，湖面，白衣做为主色调，是为了渲染出这种对恋人深深思念的惆怅，让人不由想起自身似乎也有似曾相识的画面，作者的愁绪瞬间从她笔下延伸至读者心中，心间眼眸早已是湿湿的一片了。

秋林作品三

国画

青峰叠嶂山峦依旧冷艳
江水波光潋艳流向天边
撑一扁舟穿越千年

蒋雯鉴赏

秋林老师这首诗很美，美在画面，更美在寓意。画是山水之画，亦寓指人生之画卷。在三行诗里，用如此短的词句能把一幅画描绘得栩栩如生，妙！"青峰叠嶂""江水波光"三行中两行就使山水一跃眼前，而"冷艳"和"流"分别对它们各自静与动的特色辅助形容更增加了山水之间的立体形象感，几笔淡墨，一幅画便浮于眼前，而最后一句为其叫绝。"撑一扁舟穿越千年。"其中"撑"和"穿越"这种动词的力度更增加时光之河的流动性，它虽省略主语，是为了更好突出主语的不确定性，可以让每个人入画，是你也可是我。为画着迷，更为人生之河在诗人笔下的湍流不息点赞！

春去说春

赖着不走，夏又来抢占地盘
穿短袖的风一吹
湖水就苦笑出鱼尾

唐光中鉴赏

　　天汉的诗歌写作，以短诗制胜，极短，可几秒钟读完，他珍惜阅读者的时间。然而读完之后，他的诗又如同蛛网游丝，将你的心紧紧粘住，让你如同嚼一枚饴糖，或者玩一块玉石，久久不能搁置。

　　'也就是说，天汉的诗在极短的、看似轻描淡写而又极具诗性美感的句子背后，是沉沉的份量深深的暗示。胡金溪的诗极为抽象，通过事物的平庸具象营造的诗歌意象跨度极大，极其幻丽和奇谲，常常给人无限思索，令人拍案叫绝。胡金溪的诗因此具有了从表面到内在的极度的语言和思想张力，给人以极大的情绪和精神的冲击效果，而这正是诗的本质。

　　读天汉的诗，不会是鱼跳水面的风景，而是静水深流的沉潜和远阔。以这首《春去说春》为例，三句成诗，其形象、意象和抽象所指跃然纸上。"冬赖着不走，夏又来抢占地盘"，而"春"呢？诗人发出了无限惆怅和惋惜的隐形的诘问和喟叹。"穿短袖的风"的奇特的比喻尤其令人眼前一亮，深觉美不胜收。文人和诗人们对"风"有过多少形象的比喻，这比喻实在令人耳目一新呢。至于"湖水就苦笑出鱼尾"，湖水与鱼尾纹互比和切合，那一丝"苦笑"，已是道不尽的季节的寒暑轮替和人生的冷暖苦涩，这几乎是诗人命运的自画像和自白书，也是人世间普遍的风雨命运和岁月遭遇。

　　至于以《春去说春》为题的这首三行诗，诗中没有一个"春"字，却是诗人神来妙笔的话语功力了。

天汉屠夫作品二

感恩

对着张黑白照叩了几个响头
里面半截土墙
曾扶起我寒酸的潦倒

唐光中鉴赏

　　这首微型诗的支点或者说基石是"半截土墙"，是情由景生感慨万千泪水泗流的燃爆点。"土墙"是生之养之的故乡和家庭父母，（已经退为静态的残雕）诗中动态的画面是诚彻的感恩、痛心疾首的回顾、凄凉人生的铭刻，或者游子归窠的千言万语的哽噎。动感的画面还有动感的声音——那令人目不忍睹耳不忍听的"响头"。这就是一个赤子、游子的感情自然流溢的不自觉的一刻和阅读者感受感动自觉的一刻，这一刻应该出现了心灵的共颤和艺术冲击波的二元同构。这便是这首仅仅三句的微诗的极为出色之处。它是一截感情的雷鸣电闪，又是一部小说（隐形）的长篇叙事。它也许使诗人有了瞬间的如释重负，却给了阅读者如牛负重的细读与思索。

　　诗人天汉的微型诗大多内涵厚重，意象奇特，出语惊人而见长，这首诗也不例外，以独辟蹊径的方式准确地来表达了思想主题。

天汉屠夫作品三

雪韵

在热恋里哭，不如在冷落中
化羽而舞。那苍茫的白
是我生命的底色

晨钟暮鼓鉴赏

　　赏读这首小诗的视点极其跳跃，而且开阔，由个体的自由张扬跳跃到广阔无垠的天地空间；由个人的狭隘情欲跳入到冷峻苍茫的银白世界中。生命的原色本应该就是白色的。白色，其实就是一种未知！后来的色彩是个体命运漂染的结果。那么，问题来了，如何让自己的生命披上理想的色彩？是不是完全由个体来选择呢？

　　该诗的意境表达的是一种朴素的生命观，无数微观的雪花虽然渺小而短暂，但却尽情地张扬个性，并且成就了大地的银装素裹，只要最后能融入苍茫，不玷污洁静的大地，也就无悔于一生。

天汉屠夫作品四

反转

太阳西山升空，水向高处流去
那盒骨灰还原成肉体
再次倒着过完一生

天涯鉴赏

反转”这个题目大家一般都以“柳暗花明立意”。而作者却独辟蹊径，把梦想种在诗与远方，就得以时光倒流，来表达主题，可谓意韵深妙！

首句以自然界的逆反规律切入点题“反转”。众所周知太阳在西山下沉，水往低处走。而作者却恰恰相反把"下沉”变成"升空”，把"低处”变成"高处”。假没一个时光倒流的远方画面，其旨在表达高尚的情操，以诗和远方这个梦来一次人生逆转，即反转。

中尾句承接首句，进一步升华主题。道出假设的果。“那盒骨灰”指死了的心，即灵魂。“还原肉体”就是复活。即从死回到生。“倒着过完一生”从老朽回到童年，即返老还童。正所谓：把结果看成快乐的人，一时快乐；把过程看成快乐的人，一生快乐！

小结:我们常说立意是一首诗的灵魂，此作品做到了这一点，构思新颖，且富含生活哲理。寄予读者积极向上的思想！

闻达作品一

芦荡

青绿的城堡里
苇莺，一窝又一窝
世袭这家族领地

幽兰鉴赏

　　苇莺，是苇塘及沼泽地区常见的食虫鸟类，体色以褐为主，嘴细尖，体型纤长，它的家园在青绿的城堡——芦苇荡。"一窝又一窝"在这里繁衍后代。诗人以空净、灵透、温婉的拟人诗语，为读者呈现出苇莺弱小生命坚韧的生存状态。"世袭"二字，以一代又一代欲生存在某个血缘家庭和地盘中的口吻，流露苇莺神圣不可侵犯的"霸气"！

　　三行诗语流畅，笔墨简洁，却寓意饱满，情感与物象无缝衔接，暗喻大自然与人鸟需要和谐共存和相互照应，人与鸟，都需要有自己的家园，和谐需要从爱护一个个小生命做起。

闻达作品二

暴风雨

昨夜
怀素挥笔一通狂草
天下书家竞折腰

幽兰鉴赏

"昨夜，怀素挥笔一通狂草"，诗人开篇直奔主题，借怀素的草书描写《暴风雨》，新奇而贴切。如此写暴风雨实属首见。唐代杰出书法家，史称"草圣"，字藏真，僧名怀素。他的传世书法作品有《自叙帖》等。怀素草书，笔法瘦劲，飞动自然，如骤雨旋风，随手万变，率意颠逸，千变万化，清秀、狂放兼有。诗人抓住怀素的这些草书特点，刚好与暴风雨场景吻合，出奇的想象，大胆的构思，赋予这场暴风雨以文化品位和罕见奇观！

而尾声"天下书家竟折腰"，以天下书法家佩服至极，来进一步提升这场暴风雨的罕见！意境达到了通俗雅美、大气狂放的高度。诗人以脱俗出新，走笔豪放的风格，成就了令人眼前一亮的《暴风雨》佳作！

闻达作品三

老娘面前 我装嫩

每次看望老母
都故意挺直腰板
这样，显年轻

幽兰鉴赏

儿女不管到了什么年龄，在母亲面前永远都是孩子。"每次看望老母／都故意挺直腰板"一个"故意"凸显儿子对母亲的另一种孝心，而"挺直腰板"则以实体动作进一步宽慰母心。您放心吧，看，儿子身体健壮且腰杆挺拔。因为诗人知道母亲最最渴望的是儿子身体健康！在母亲面前装嫩，还有一份潜在的撒娇成分，尾句的显年轻，更是渴望在母亲面前永远是孩童的心理隐现。

这首诗，没有半句华丽词语和刻意拔高，只是在朴素的人之常情中增添了点诗意佐料，使意象和亲情亲密为一体，便有了艺术性与血缘之情契合的感人场景！这才是水到渠成的心音流淌。

梦雅作品一

我的家

父亲山，母亲河
清凉整个田野
滋润整个家园

徐英才鉴赏

张力之于诗，就像酒精之于酒，表面看平淡无奇，静若止水，饮后则会觉得后劲十足。《我的家》就是一首张力十足三行诗。

我的家究竟长啥样？标题即埋设了悬念，引发好奇，促使读者往下读。

"我的家/父亲山，母亲河"，开篇采用短语而非完整句式，是有意为之。短语多意，因此更具张力，它可被理解为"我的家（里），父亲是山，母亲是河"；也可被理解为"我的家（里）有座山叫'父亲山'，还有条河叫'母亲河'"。

那么，"父亲山，母亲河"究竟怎样呢？这是本诗埋设的第二个悬念，促使读者追读下去。原来，"父亲山"可以"清凉整个田野"，"母亲河"可以"滋润整个家园"，它通过父亲是"山"和母亲是"河"的象征手法，把父亲和母亲升华为巍峨的山和清凉的河，把家升华为家园，至此，诗人把父母之爱，父母对家庭的付出，父母对家庭的重要性表现得淋漓尽致。有了父母，这是个家才可以像山那样稳如磐石，才可以像河那样长流不息。

梦雅作品二

春姑娘

在田野奔跑
长发撩起岁月之光
一闪花儿红了，一闪小草绿了.....

婉末鉴赏

微诗，顾名思义，以"短粹、巧妙、深刻"取胜。有诗论家曾精辟地概括其特点："于一粒砂中雕刻世界"。可见，要想把微诗写到极至，实属不易！诗人梦雅的微诗《春姑娘》就以其"短、精、深"的特点示人，给人以清新活泼之美感！

读《春姑娘》，犹一幅唯美的春天图画出现在眼前！诗人似"春姑娘"，"在田野奔跑"。长发飘在春风里，可见"春姑娘"青春妩媚多姿之美！长发飘在岁月里，可见"春姑娘"内心丰盈成熟之美！"长发撩起岁月之光"，可见诗人敏锐捕捉生活多情之美！

接下来，诗人以"春姑娘"长发之仪态"撩起岁月之光"，让时间与自然巧妙链接："一闪花红了/一闪草绿了……""一闪"一词用得妙——既是"光"的灵动，又是"诗"的灵动！既是时光飞逝，又是岁月不居的夸张描摹！"花红了""草绿了"，诗人采取"春景""花"与"草"自然意象表达欢快心情，同时，也起到了扣题的作用。

一年之计在于春！诗人"在田野奔跑"，既有"诗情"、"人生"在春风里生长的美好，同时，也隐喻诗人在跟"春姑娘"赛跑，暗示内心有着"青春"、"时光"难再的一丝忧虑，蕴含岁月不居、时光难再的诗意主旨！

微诗《春姑娘》，"微"而意高，精道！深刻！

雅诗兰作品一

你侬我侬

呢喃着的飞燕
拂过河面落寞的煜煜星火
躲进夜樱里诉说着思念

周瀚鉴赏

绮丽春夜 深厚思念
——读雅诗兰的三行诗《你侬我侬》

此诗描绘了东洋春夜之美景，表达了对亲人的思念之情。诗人漫步于日本横滨的大冈川，极目纵望，燕子飞舞、夜樱灿烂。春天生机盎然之景，令诗人無限感慨。

诗歌以飞燕为主题，意象还包括河水、星火和夜樱等，极具美感。首句从视觉和听觉方面突出飞燕的动态，此为客观描写。第二句描写飞燕拂过闪耀着星星和灯火影子的河面，视觉由高至低，开始有表达主观情绪的词语"落寞"出现。第三句，笔锋一转，以拟人化的手法，视觉由低至高，描写飞燕躲进夜樱里诉说着思念。这个突转，令人产生好奇，诗歌却戛然而止，言有尽而情意无穷。在樱花盛开的春季，日本的街道会挂上"春祭"的灯笼，每当看到灯笼，诗人情不自禁地回忆起英年早逝的弟弟，即使面对"煜煜星火"，却有落寞之感。诗人选取的意象"燕子"是春天万物复苏的典型特征之一，她甚至像盼着燕子北归一样，希望有一天在天国与弟弟团聚。可见诗人与弟弟的感情深厚。为什么姐弟相见要躲进夜樱？因为至今她对年迈的母亲隐瞒弟弟的死讯。感情之沉郁深婉，可见一斑。

寥寥三句蕴含了作者对弟弟的深厚凝重的思想感情。诗歌意境优美隽永、善用叠字和押韵、音律谐和婉转、风格婉约深沉、富有艺术感染力。

郑军科作品一

泪湿清明

倒春寒，虚空了四月
一地杏花雨
忆起，白云深处的伟岸

星辰花鉴赏

　　用写景切入。既写实又虚写。实写可让读者能看得见，有所感触，是平面的感觉。虚写，可给读者留下想象，联想，和补充内容的空间，是立体的感觉。虚实结合的拿捏也需一定功夫。作者选取了两个意象"杏花雨""白云"。前一个营造清明时节的外部特征与气氛。后一个给人物安排所处环境，是一种人物活动场所的陪衬。尾句的含蓄留白，意味深长。写景写物，还得回归到写人上来。本微诗文字自然，不枝不蔓写来，对亲人深情的缅怀，追思在结句中体现出来。是一首写清明为主题的成功之作。

郑军科作品二

重阳怀父

又是一年菊黄到，坟头那蒿草
如我的思念疯长
仰天　把满腔的话语诉于云

清心鉴赏

又是一年重阳菊黄时，思念在心头！一幅思亲画卷悠然展开！多少思念如坟头的蒿草那样凄凄。诗人以菊黄，蒿草，疯长渲染了对已故的父亲那深深的思念！可见父子何等情深。两句话足以让人动情泪目！紧接着第三句写出自己思亲的无奈，只有看着苍茫的天空，把满腔要说的话诉说给飘浮的云朵，可云朵又是无根的！千般心绪凝聚在心，可想诗人思亲的伤感足见至深！

小诗情感真挚！语句平和，层层递进！内心活动刻画完美。没有华丽的辞藻！思亲的意境却是令人动容！学习点赞！

郑军科作品三

小巷

月　注视着老井
老井摇起一串记忆
记忆中走失的乡音　随了流云

星辰花鉴赏

月"点出时间，是晚上。有了空间感。首行一个拟人修辞，赋予了人才具备的情感、动作、思维。这句出现了"月""老井"两个意象。一个在天上，一个在地上。月是远景，井是近景。高低搭配，铺垫，营造，渲染一种氛围。下面又用拟人句，具体的写情感、回忆，表达上更深入一层。结句虚写。"走失的乡音"代指远离小巷，奔向四方的乡邻们。"随了流云"，"流云"漂泊不停，行踪不定，暗示了乡邻们出走后的境况、打拼，为日子奔波的情形。朋友也好，亲情也好，童年，少年的玩伴也好，都离开了小巷。作者的心理有情感的波动。也有无奈，也有怀念，也有说不尽的感慨。

本微诗的拟人，顶针，为诗作加分不少。内容丰富，情感抒发层层递进，最后到达了高潮。

冰凌作品一

竹

山巅溪涧葱郁着
一丛一节
分明是笙箫和鸣的清歌

幽兰鉴赏

　　竹子挺拔，修长，四季青翠，傲雪凌霜，倍受人们喜爱，与梅、兰、菊并称为四君子，与梅、松并称为岁寒三友，古今文人墨客，爱竹咏竹者众多。而诗人只从竹的生长环境和分节拔高的外形入手，将竹秀逸神韵，清丽俊逸的翩翩君子风度，呈现在读者面前。尾句"分明是笙箫和鸣的清歌"，点睛之笔，提升了竹子谦虚自持，以山涧为伴，以竹叶和鸣潺潺流水，如同笙箫乐器和鸣心灵之歌。正如元杨载《题墨竹》："风味既淡泊，颜色不斌媚。孤生崖谷间，有此凌云气。"，这首诗以竹抒怀，抒发了诗人崇尚淡泊、清高、正直的人格追求。

冰凌作品二

石头

指尖山水 大美盆景
一样的玲珑
别样的巍峨

幽兰鉴赏

看得出这首《石头》是诗人触景生情的瞬间灵感喷发，挥笔而就！石头可以大到巍峨雄浑叠石成山，小到掌心把玩小巧玲珑。石头绮丽万般，形状各异，盆景石玲珑剔透，秀美如玉，令人悦目赏心！诗人将盆景石头称为"指尖山水"雅致贴切，灵美生动。

尾句诗人笔锋一转，从惊叹盆景的秀美绮丽，跃上石头的本色"别样的巍峨"，石头被修饰的再小，再玲珑，但它坚硬的石魂和男儿伟岸的风骨和本色依然统领！石头就是石头！

冰凌作品三

初恋

不敢触碰 当初的情书
唯恐 那一行行娟秀文字
浪花般飞溅 我沉寂的心海

幽兰鉴赏

　　每个人都有过初恋，初恋是人生中最美好的一页，不管最终是否能成为夫妻，它都是爱情中第一道新奇和独特的味道。诗人之所以开门见山写出"不敢触碰 当初的情书"，正是因为初恋情书中每一个字，都是初次投入情海的一粒粒跳脱石子，"唯恐 那一行行娟秀文字/浪花般飞溅 我沉寂的心海"。

　　诗人用美好和内敛的笔调铺设《初恋》的色彩，和深情书写回味，用主观情思的和抒情主体的情态意象，反映众多人的经历和感受，更增加《初恋》的情性分量和情感温度。

墨湾客作品一

雪画

山川一夜　银装素色
早起　速写
秀丽村落　侧有弯

爱新觉罗·娟鉴赏

墨湾客老师的《雪画》诗，仅用寥寥数笔三行诗，就勾勒出一幅山川，村落，弯月，白雪皑皑覆盖的壮丽画卷。

"山川一夜，银装素色"

让人联想下了一夜的铺天盖地的雪，才能把山川如此装扮，且可展开无限遐想，可说是大自然的巧手织就了一幅天幕雪帘，让我们仿佛看到了皑皑白雪覆盖下她那温柔的曲线。

"早起，速写"，表达了诗人急切贪赏山川雪景的心情，用诗句将雪景描摹。
可见大自然从不吝啬为诗人画家笔下提供最为丰富的创作素材。

"秀丽村落，侧有弯月"诗人进一步为我们描摹了那镶嵌在山川坡地中的错落有致的农舍，犹如一朵朵白色的雪莲盛开在山川乡野间。"侧有弯月"在山川农舍旁悬挂，让寂静的山川更加有了诗意。

这首三行诗虽短，笔者认为是恰到好处的留白，为读者展开无限的想象空间。

孙静波作品一

长江

为什么如此迷人
逆行中有赞美、焦虑、期待和失落
还有滚滚而来催发好奇的谜

冯健鉴赏

2005 年夏，诗人由东向西，从上海坐客轮溯长江而行。

诗人看到了一个立体的生机勃勃的长江，两岸时而车水马龙，人声鼎沸，建设热潮令人欣喜；时而天高云淡，谷深山幽，静溢如世外桃源，心中充满赞叹之情。

诗人想到，数年以后，三峡大坝建成，他现在看见的沿岸古城镇将永远沉没江底，他的伤感、焦虑、失落油然而生。

长江，自古以来都是迷人的。古今无数文人骚客，留下了许多揭示长江壮丽、迷人的诗篇。在这首短诗中，诗人以深邃的思考，简洁的诗句，写出了在长江由东向西逆行中的赞美，焦虑，期待，失落的心理变化，以及滚滚而来的许多没有破解的谜。以虚写实，用心理变化来写长江的壮美和深邃以及蕴含的无数迷人的谜，视角独特，发人深思，余味无穷。

付光渝作品一

背影

告别故乡　阅尽沧桑
谋生的父亲走向天边
与地平线塑成了一尊雕像

赤道雪域鉴赏

忆起父亲年轻时，为了家"告别故乡"的背影，历历在目，从此闯荡人生，奔波忙碌，"阅尽沧桑"，就像太阳一样照耀着"我们"的家和"我"童年的时光。时光无情，等"我"长大了读懂了父亲辛劳的背影，父亲就像日落西山走到了岁月的尽头。。。父亲啊，您虽远去，您的背影永远矗立我心间！语句虚实结合，明快大气；构筑时空与人生交织，丰满厚重，传情悠远！

付光渝作品二

枫叶正红

羞涩红晕　在秋姑娘
的脸上蔓延
点燃　爱的火焰

赤道雪域鉴赏

抓住点，虚实结合　赞。诗人看水水有情，看山山有意。与其说："在秋姑娘的脸上蔓延"，不如说在诗人眼球的移动中"蔓延"，这横幅式动感的画卷多么壮阔多么灿烂醉人！"羞涩红晕"，这质感这内心的描绘多么细腻！"点燃　爱的火焰"，不只是因为红而红欲燃，而是漫山遍野红的气息气势触发了诗人浪漫的情怀，情不自禁，渲染深秋的天空！

波吒作品一

七夕感怀

缘来也有天意
分秒之间产生结局
渡与不渡，银河都不拦你

梦想鉴赏

读到波吒老师写的这首小诗，虽只有几句，却感受到它表达了人生中一种真理。这一辈子的时间是用分秒计算的，一个人的醒悟得到渡，是分秒之间的。

缘来也有天意，这个"缘"字，和每一个人的人经历都有关系，什么时候，接交一个新朋友，或读一本书，一首诗，或一个人命运的改变，遇上了有缘的朋友帮助等等。这个缘字的来到很神妙，它是一种天意，所谓天意，是天之自然也，或说是有某种神秘力量推动，给安排好了的。这首小诗字虽少，却值得人深思，符合黑格尔对诗的要求的，他的诗是和人的心灵紧紧相连，启发人的灵慧。

"缘"是天意安排的，缘对一个人产生的影响和作用，竟是出奇地快，分秒之间产生结局，精确到分，秒，虽然从时间上那么短，却对一个人的心理产生质变的强大作用，能渡你到智慧的净地或是相反，比如说，遇到一个好人，和你成为朋友，你从此人生会向好人方面去转变，遇到了另外的人，也会变成了另外的一种人。

"缘"是一个神奇的东西，细细地想一下，真是无处不在，原来自己经历的一切，都和一个"缘"字有关系，感谢上天，感谢和我结缘的全部所有！感谢波吒老师这首诗，启发了我对缘的思考和重新认识。

波吒作品二

错误

假如，那一念
可以改变。顺着开篇
如戏剧上演。假如……

杨泽钦鉴赏

人生在于选择，有时就是一念，一念成，一念败。假如那一念无法改变，不如就顺着开篇上演，因为人生都是直播。

生活中有太多的假如，这假如有经验的总结，有记忆中的难忘，有懊悔，有自责……总之无限，正如诗的结尾，余意不尽，令人思考。其有哲理，假如有假如，便可重来，假如没假如又何以面对？过去、当下、未来？好的诗往往给读者以想象的空间，以多义的形式让人自己去选择，自己去作结论。失败是成功之母，错误是正确的前导。多么好的假如啊！它留给我们太多的思考、启示。不管过去的选择如何，走过的路,不要回头,犯过的错,不能再犯。

胡水根作品一

角。大寒

白
人白，鬼白，菩萨白
树白，木白，山头白

今音鉴赏

《角。大寒》这首诗，也是一首结合节气来喻证人与人之间关系的劝勉。白，在八卦里面的方位在于西，西为金，而金胜水。金又为白色。从方位看，西，又为白虎。当它和人类关系一旦对应之后，首先从数理、服饰颜色、动物指代、环境方位，就和人类构成了生生息息的互相依赖关系，首先从传统理念出发看"白"，它的方位数为七。这时候着重谈数字理念关系，比如，有的作家喜欢创作七行诗，或七段诗，而其中每一段又都为七行。这其中除了和个人所拥有的文化底蕴有关，其实和家族的传承也有联系。

比如这个"白"，从服饰上看可以制作衣服，和用在白事上。然而这个七，又和亡灵做七相符。这样说来，由这个"白"所衍生出来的各种形形色色的理念有些多。比如方位。它又和风水相关。西即为白，而白又为虎，如果住宅西面无楼栋而依，即为白虎克青龙，而青龙在楼幢最东边住宅。这时候化解的方式就是在东边住房里放一只玩具虎，虎头朝向楼栋总进户口。这是由七繁衍出来的玄学说。信与不信，全在于自己。

胡水根作品二

角。大雪

落地就白了。
上天的云朵一脱去袈裟
就无缘无故地大，就无缘无故地重

今音鉴赏

这首《角。大雪》它有一个场景描述。它跟燕山雪花大如席有相似的一面，它就是无垠和遥远。作为人类认识自然的一种印象，它可以铭刻在上下五千年的英灵当中。但也可以为现代所用的一面既是欣赏它和赞美它，甚至还可以瞻仰它。这时候，诗歌的艺术氛围和其有价值的一面，也随着人类的不断认识和知识更新被凸显出来。比如，哈尔滨的冰灯节就是利用了这样一个自然景观在为人类服务。这时候，人类和自然的亲近，同时也会改变其周围磁场，如，观光客的喜悦心情，眼神里流露出的激动，甚至还有呐喊等细节，有的都已经被电影和电视剧所利用。

因为只有好东西才会被人利用，这就是大雪的有用性一面。因为"大雪"，有的人还会触景生情。这是什么原因呢。原因很多，比如有历史的，也有当下的，有不同国籍的，也有不少是莫名而来等。因为"大雪"，使得有些人治好了心病。这是由雪而喜，喜上眉梢的结果。其中的道理就在于，人类该如何尊重大自然，比如，有意识亲近它，而不是毁坏它。大雪，看似很普通，但它蕴含极其强大的力量，不要见识短而酿成公共灾害。

康秀炎作品一

致敬耕耘

农民的烟卷是一支短笛
犁铧在黑土地上跳舞
饱满的农家院掀起高潮

岐麟散人鉴赏

微诗最大的特点一是细节描写，二是物像的精准选择，三是画面感的布局。首句是一个陈述句，写出农人耕作中的习惯动作，二句点出耕耘前的场景，跳舞一词活化了耕作的劳累，末句事丰收，一份耕耘，一份收获，农家园的饱满就是证明。

康秀炎作品二

雪枝

一袭婚纱，三季相思
与红梅热吻
毫不在乎冬的冷眼

赤道雪域鉴赏

　　白雪与红梅，色调对比鲜艳纯粹；热吻与冷眼，一热一冷，反差强烈，塑造意境；一袭，三季，数字妙用，语气含蓄，朗朗上口，锦上添花。通篇表面拟物实则借代婚纱拟人，有主角，有细节，有性格，有执着，刻画简洁，栩栩如生！

出水芙蓉作品一

梦

望星空眨眼
与星星调情
梦就诞生了

蒋雯鉴赏

　　这首《对拜》中，"体验"与"让时光不再"对于修心者来说是最高的境界，只有真实体验过的人方能道出一二。而也只有向往并经历过之人方能产生共情共鸣！时光本就是空的，人们之得失由心行演绎并分别而成，所以才会觉得人生喜怒哀乐满满当当。当意念空无时，外界还有什么呢？所以自心决定外界的好坏美丑，一切从内寻方是正道，这首诗意境空灵浩瀚，不错。

出水芙蓉作品二

对拜

红尘最极致
体验
让时光不再

蒋雯鉴赏

这首《对拜》中，"体验"与"让时光不再"对于修心者来说是最高的境界，只有真实体验过的人方能道出一二。而也只有向往并经历过之人方能产生共情共鸣！时光本就是空的，人们之得失由心行演绎并分别而成，所以才会觉得人生喜怒哀乐满满当当。当意念空无时，外界还有什么呢？所以自心决定外界的好坏美丑，一切从内寻方是正道，这首诗意境空灵浩瀚，不错。

大漠孤烟作品一

雄鹰

就让未干的羽翼深埋谷底
啄破云翳。盘桓于九霄之上傲视
陡峭的人间

素魄清魂鉴赏

　　一首微诗能在瞬间抓住读者的心，引领灵魂共振，诠释与解读共鸣；一定有其特殊的精神主导存在。

　　本首微诗气场十足，诗人的内心呈现完美渗透到这幅宏图画卷之中；诗言志能在这精短的语句中找到解答。

　　雏鹰从基础开始，在谷底不断锻炼挑战自己，到展翅翱翔。矫健的姿态，果敢顽强。啄破阴霾，盘桓天际迎接光明，振奋人心，激人向上。在这里"陡峭"的应用别具匠心，移情的手法大大提升了文字的艺术感染力。诗人的凌云之志随着雄鹰舒展的羽翼在诗空翱翔，逐梦人间。

黄谷子作品一

无题

那一日
一只鼹鼠
向我兜售阳光

蛇珠鉴赏鉴赏

现实生活中，许多事物在我们的头脑里面因为司空见惯而视而不见，但就是这些习以为常的事物往往有它一星半点的闪光，透过现象看本质，让人在豁然开朗里心清气爽。

读微诗，我喜欢那些隽永，轻灵，深情，哲思浓郁的短章。只言片语之中，一个鲜活的形象跃然纸上，而诗人的睿智也展露无遗。

如果说诗歌是剑，那微诗就是闪电是火焰。微诗是大脑的灵光一闪，如电顷刻劈开苍穹，那亮能够把每一双眼睛照明；而诗照亮的是心灵，翻起的是灵魂的激荡！

三言两语不短，甚至几个字，说好了，也能决定幸福的一生！

微诗的精华所在尤其显现在哲理题材方面，它的智慧之光层出不穷。看这首微诗在不显山不露水的淡定之间，出其不意亮出的宝剑，它的寒光直剥人心的污垢：

赖杨刚作品一

月亮坝坝

坐在月亮的坝坝里
一边喝茶，一边等待自己
梨花在公元前，白得那么大声

素魄清魂鉴赏

诗歌的魅力在于，能够操控情感自由宣泄，借助意境，来表情达意。

这首月亮坝坝，就能带给我们这样的心理体验。首句"坐在月亮的坝坝里"，点明诗人所处的地理位置。接下来"一边喝茶，一边等待自己"，承接首句，进一步陈述补充；坐在那里在做什么？尾句"梨花在公元前，白得那么大声"，话锋一转，行为活动刻画转变为心理活动刻画。时间，地点，人物三要素在这么短短的分行中，交代的清清楚楚。

这首微诗人物与景物互动自然，情景交融出恬淡的诗歌意象。诗人的精神走向由真实渐变为虚空，所处的心里状态同样转换成由近及远。

夜色下的坝坝，安静空旷。诗人独自感受着静月的柔美、神秘、朦胧。深情地望着天空发呆，等那枚月落入手中的茶碗，茶香与微凉的月色交汇，叠加出内心的澄澈。一些温暖的情愫萌生，此刻时空转变，公元前的梨花依然在呼唤心中所恋，白的那么执着；通感的修辞更添淡淡清愁。月光的白与梨花的白相互衬托，不仅会有"年年岁岁花相似，岁岁年年人不同"的感叹……！

作者与鉴赏者简介

爱新觉罗·娟，中国籍。现代诗古风诗文学爱好者，曾在当地报刊杂志等发表作品，散见于网刊等。现任龙凤诗书画作家院会员，亦曾担任东北区龙凤文学院分院长及教督等。

白曼 Angel，热心公益和文学创作，担任多个社会职。获得世界最美爱情诗大赛「世界情诗公主奖」，作品发表于海内外网络平台、纸媒和选本，并译成多种文字。《全球华人诗艺音乐会》文化节目品牌创始人、制片人、总导演。

白芷，男，江西人，中学教师。系中国微型诗编委、世界诗歌网国际诗赛频道编辑。有作品发表。

冰凌，本名张玉杰，男，70 后，河南省清丰县人。现为山东省青年诗人协会会员，中国微型诗社会员，诗歌与评论文章散见国内诸多报刊。2014 年荣获全国独家《关雎爱情诗》年度诗评奖。现为中国微型诗社副社长，公众号《微型诗心见南山》编审。

波吒，本名田小波，重庆市作家协会、诗词协会、新诗学会会员，贵州省作家网签约作家，美国华人诗学会会

1

员，各类文章散见国内外三百余家报刊杂志，时有作品获奖入集。参与编写、编辑出版的书籍二十余本，主编《开州田氏族谱》计八十余万字。出有微型诗集《豌豆苞谷》，散文集《笔耕犁痕》，著有长篇人物传记《月照丹青》。

陈清流，本名陈大水，湖南浏阳人。作品散见于《浏阳日报》《长江诗歌》等纸刊及网络平台。部分作品获奖并收录于文集。

赤道雪域(莫军)，男，湖北襄阳南漳县人，从事通信行业，爱好文学诗歌，2016 年 2 月有幸接触微型诗，学写微型诗，散见于各大微型诗网站，现为华夏微型诗社编委。

出水芙蓉，旅居澳洲华人。国内新闻专业毕业，出国前电视台新闻部记者。出国就读市场营销专业，曾在多个领域从事市场策略营销运营工作，从普通职员努力做到全球百强市场总监。当下静修心灵探索，写下几千首启迪心灵的随笔诗篇…。近期第一本双语诗集《我心印天心》在全球最大亚马逊网站发表。

丁丁，作品见于海内外纸刊杂志及媒体平台，以及马来西亚校本教材。其英文诗歌与绘画收录于美国、意大利、日本等国的国际艺术杂志与书籍。著有个人双语诗集。悉尼大学及新南威尔士大学双硕士。2022 年 CCTV《成功之路》栏目授予丁丁"时代楷模第 18 届爱心中国德艺双馨艺术家"荣誉称号。

F

冯健，广东汕头职业技术学院督导室主任，汕头市朗诵协会会长，作家，副教授。

付光渝，男，四川达州人，工行退休职工，经济师，中国诗歌网认证诗人，当代一线诗人，西部文学作家协会会员，签约作家;从 1980 年开始进行诗歌文学创作，其大部分作品在《通川日报》、《巴山文学》、《星星诗刊》、《金融文坛》月刊、《西南当代作家》、《中国诗歌文学精品》等数十家报刊杂志和网络发表。

G

郭平安，署名来年雨，河南焦作人，中国微型诗社会员。有诗散见纸刊、网络平台。

郭卿，中国诗歌学会会员，华人诗学会会员，山西省作家协会会员。在《诗潮》《诗选刊》《世界日报》《人民日报海外版》等报刊发表诗歌 500 多首，入选《新诗三百首》《中国新诗排行榜》《世界华人诗歌精选》等选集。获奖多次。《诗探索》《名作欣赏》等报刊发表相关评论。

海滨小城，原名黄海斌，湖北省大冶市人，湖北省作协会员，曾任过《华夏微型诗》副主编，钟情于诗歌，著有诗集《短笛》、《夜莺》。作品散见于《中华文学》、《芳草》、《山东诗歌》等多种纸刊。

寒山石，本名崔利民，系中国诗歌学会会员。著有《滴水藏海——当代微型诗探索与欣赏》、《微型诗精品百首》（合著）、《短笛轻吹——寒山石微型诗 500 首》、《微型诗论探》、《汉字• 神奇的密码——寒山石微型拆字诗》等。

胡水根，笔名湖拮，常用名卜子托塔，诗歌实践者。国际乡村诗歌总编。出版诗集《光阴深处一根骨头在奔跑》《向阳花开》《沧浪海昏》（长篇叙事诗，合著），主编《二十一世纪势诗选》《气诗选》等。

怀鹰，曾任新加坡电视台华语戏剧组编剧、媒体城记者、撰稿人及导播、《联合早报网》高级编辑、书写文学网主编，目前为专业作家。获国内外 25 项文学奖项；第一届《城市文学奖》冠军，《宗乡文学奖》小说组及散文组冠军等。主编过《青年文艺双月刊》、《新加坡文艺》、《新城小小说》、《新城小作家》、《创新诗刊》、《缅甸新文学网诗歌报》等。出版过 25 部包括诗、散文、散文诗、小品、评论、长篇、中篇、短篇、微型小说等著作。

黄谷子，又名黄钊，湖北大悟人，中华诗词学会会员，湖北省作家协会会员。当过教师、杂志编辑。诗文千余篇（首）散见于《芳草》《中国诗歌》《辽河》《诗潮》《诗歌报月刊》等报刊网络平台,有作品入选《中国最美爱情诗》《中国当代作家作品选》《一线诗人百家精选》等60多种文集，出版诗集《手心里的谷子》

黄炽华，现为香港作家联会成员，国际当代华文诗歌研究会顾问、东方之珠文化学会顾问、香港文学促进协会名誉会长、蔡丽双博士文学馆荣誉馆长，曾是港内外数份报纸时事评论员。出版有诗词、短篇小说、政经论辩录多本。现以退休吟咏养生为乐。

J

季闲，本名邱继贤，台湾花莲人，大叶大学设计学硕士，专业景观及空间规划设计师，乾坤诗刊责任编辑，季之莎新诗报总主笔，吹鼓吹诗论坛中短诗版主。

蒋雯，多年从事文学创作，是美国华人诗会会员，澳华诗会会员，澳华国际文学协会任秘书长，[驭风者诗社]副社长及专栏诗评，英国《海外诗译》诗评及中文审核，新西兰[澳洲讯报]汉俳版编辑。一直有文章在发表。诗观:心中有诗，生活才会如诗。诗观:心中有诗，生活才会如诗。

芥末，本名赵敏，70 后，遵义人，文学爱好者。

今音，中华知青作家学会主席团委员，出版长篇小说 16 部，评论 22 部。

康秀炎，男，河北省沙河市人。河北省文学艺术研究会会员，河北省散文学会会员，中国微信诗歌学会会员，邢台市诗人协会会员。代表作文学作品集《我的第一桶金》（作家出版社），多篇作品散见于各地报刊和网络平台。作品被今日头条、天天快报、搜狐新闻、腾讯新闻等各大网站转载。其中《槐香依旧》一文被河南、山东、西藏、湖北等多地选为初中考试试题，并永久入选组卷网。

老厚，原名：孙厚山，吉林省东丰县人，生于上个世纪 60 年代中期，现供职于黑龙江省政府某机关单位。黑龙江省作家协会会员，著有老厚诗文集《我从山村走来》等 7 部。有诗歌作品入选小学语文辅助教材。荣获首届中国微型诗排行榜双年奖（2019—2020）年度诗人奖。从山村一路走来，乡村情结浓厚，无论世事如何变迁，始终坚守厚诚厚实，厚道厚德。

冷慰怀：1945 年生，江西宜春人，1983 年开始发表作品，1995 年加入中国作家协会，退休前为洛阳某大型国企宣传部文艺刊物编辑。发表作品 400 余万字，出版个人著作 10 种，获各类文学赛事奖数十项。退休后受聘为广东多家公开纸媒编辑，曾连续 8 年主持"苍生杯"全国有奖征文大赛审稿，担任优秀作品集《苍生录》(七卷)主编。

李银波，河南洛宁人，一个曾经的老兵，洛阳市职工作协会员。作品散见于《意林》《鄂州周刊》《青年文学家》《火箭兵报》《流派》《天下美篇报》《微型诗选刊》等报刊及多家公众平台。

廖仲强，60 后，安徽望江人，医务工作者，中国微型诗社会员。上世纪末学写小诗，一度辍笔十余载。有作品发表于《安庆日报》、《振风》《中国微型诗》等报刊及网络平台和部分选刊并偶有作品获奖。

林彧（1957 年—），本名林钰锡，台湾南投县鹿谷乡广兴村人。毕业于世界新专（今世新大学）编采科。台湾著名诗人。
1983 年获中国时报文学奖新诗推荐奖；1984 年又获创世纪三十周年新诗创作奖；1985 年再以《单身日记》获金鼎奖。

刘明孚，作者笔名微光，大连人，现居加拿大，动物育种与遗传学博士，汉英双语诗人。华诗会会员。现任加拿大大华笔会副会长，加拿大中华诗词学会理事，文思移民与多元文化服务协会理事，和加拿大海外作协理事。参与加拿大中华诗词学会和加拿大大华笔会会刊的编辑工作。任《菲莎流筋》副主编，《诗梦枫桦》《新诗潮》编委，《加华文苑》执行主编。在国内外媒体发表很多诗作，并几次国际国内获奖。作品入编多部合集、选集和年鉴，包括《世界华人三行诗荟萃》《中国古诗词英译荟萃》等。

刘强，国家一级作家，2016 年 5 月号《中华文学》杂志，以专刊发表其长篇诗体小说《我的女神》（1 万 7 千行）并获奖。著作有诗学专着《中国诗的流派》《孔孚论》和散文集《走山走水》及长篇小说《香腮雪》《孽变》《人是太阳》等十数部，获世界华文诗歌理论奖，中国小学学会短篇小说一等奖等二十余项。

刘瑛，德籍华裔作家。出版了《刘瑛小说散文集》。中篇小说集《不一样的太阳》入选"新世纪海外华文女作家丛书"。散文集《莱茵河畔的光与影》入选"海外华人精品系列丛书"。根据同名小说《不一样的太阳》改编的电影在美国上映，并入围多项国际电影节。中欧跨文化作家协会创会会长。

洛芙，（徐詩婷）出生於台灣。出版 2017《半夏》2019《片波》 詩選，為台灣詩歌學會、美國芝加哥華人詩學會會員。 榮獲 2021 台灣優秀青年詩人獎、2022 納吉納曼國際文學獎。

罗乐，河南省潢川县牛岗人。信阳市作协会员。曾有作品发表于河南日报，河南科技报，信阳日报，广东文学，广州文学，微型诗选刊，现代诗美学，作家世界，诗路，零度诗刊，关东美文，荒原诗刊，暮雪诗刊，中国当代文学等报刊。部分作品收录于中国微型诗大观，北国作家，中国当代诗人谱，中国荒原诗人诗选，2022中国微型诗排行榜，中国小诗十年百人诗歌精选等文集。

M

梦雅女士：本名何梦雅，笔名梦雅（Meng Ya)， 教育工作者，现居中国西安。诗人，平台签约作家，华人诗协会会员。《梦雅诗苑》平台创始人、总编、主播、诗人。诗作发表《诗殿堂》、《世界诗人》、《中华诗魂》等国内外多家杂志诗刊。入选《世界华人诗歌精选》等，合刊诗集一部。

墨湾客，笔名，美国，理学博士，终身教授。作品发表在多个电子版刊和纸刊如《流派》，《山风》，《世界诗歌作家选集》，《诗刊》和《金陵诗苑》《探索诗歌》等等。获得世界诗歌大赛最佳诗歌奖，最美情诗桂冠男诗人奖，百字诗十佳视频原创诗人奖，伯兰世界诗词优秀作品奖，全国诗冠杯一等奖。

P

彭建功，笔名春不风度。作品在《人民日报》《华人文艺家大辞典》《中国现代诗人》《伊甸园》《世界日报》《散叶文艺》《国际日报》《诗殿堂》《诗刊》等发表诗与诗评，并多次获国际诗歌奖项。中国诗歌学会会员，中诗论坛编辑，鲁迅文学院学员，白银文艺评论家协会理事。

飘飘落叶，本名王美华。《中国微型诗》副主编，"微型诗 心见南山"公众平台主编。喜欢在宁静的文字里品味诗意人生。

Q

秦淮情怀，本名王传顺，60后，江苏省南京市人。长期从事公安工作，业余爱好写作微型诗、现代诗、散文诗及诗歌评论。在多家报纸杂志，发表诗及评论文章千余篇。

青果，陕西省三原县人，小学美术教师，善长书画。业余写诗，评诗。华诗会会员。诗观：诗是生活的望远镜和放大镜，我用它寻找人生。

秋林，澳大利亚博士，欧洲硕士，中国人民大学学士，澳大利亚华人作家协会会员，澳华诗歌艺术联合会创会理事、主编， 竹韵汉诗协会会员。出版诗集《秋林诗歌.妙韵节气》，发表《秋林诗词集》《清波悠歌》诗集，诗词散见在《少陵诗人》《竹韵海外》《名人诗藏》和《南溪诗刊》等，文章诗作发表在《他乡、故乡》《文综》《大洋周刊》等刊物。2023 年 CCTV 全球爱华诗歌春晚顾问，丝路文明之光百字诗大赛传播大使，以及获得"鲁迅青少年文学奖"一等奖指导奖等多奖项。

素魄清魂 本名杨丽娜，原籍黑龙江，现定居河北省廊坊市，廊坊市作协会员。有诗歌、评论作品发表在多家期刊并入选多种选本。出版诗集《捧起月色微凉》。

孙静波，著名作家、编剧、艺术家。影视剧本和影视评论多次在全国、省、市评奖中获奖。出版的电影剧本选集有《激荡的海岸》等，长篇电视剧剧本选集《青鸟的奇特故事》。《心桥》获舟山市人民政府优秀文化成果奖，诗作《沈家门渔港》在中国梦"渔港抒怀"诗歌征文(全国)大赛中荣获三等奖。

唐光中，网名一江春水。中国工艺美术家协会会员、中国民间文艺家协会会员、陕西省作协会员、陕西省民协专家库成员、汉中市作协、音协、评论家协会会员、汉中市民协第一届副主席，汉台区政协第十一届常委。出版多部散文集，主编或责编 10 多部文化书刊和大型典籍。

天涯，笔名，陈仙花本名，土生土长在山西大同。河北省文学艺术研究学会会员。诗歌和诗评散见国内外多家杂志和报刊。诗观："情绪化"是诗歌张力的动力源和生命线。而这个情一定要真挚，一定要贴近生活，贴近现实。

W

婉末，女，居北京。文学爱好者，中国诗歌学会会员。

王传顺，笔名：秦淮情怀，60后，江苏省南京市人。长期从事公安工作，业余爱好写作微型诗、新诗、散文诗及诗歌评论。在多家报纸杂志，发表诗及评论文章千余篇。

王立世，中国作协会员。在《诗刊》《中国作家》等报刊发表诗歌1000多首，在《诗探索》等报刊发表诗歌评论100多篇。诗歌入选《诗日子》《新世纪诗典》《中国新诗排行榜》等100多部选本。获〝2022年度十佳华语诗人、全国第二十五届鲁藜诗歌奖、第三届中国当代诗歌奖等数十种奖项。

王志光，语言学博士。温哥华北京中文学校校监、加拿大大华笔会副会长、笔会会刊《加华文苑》文学评论责编。散文、文评见于诗文集、中文刊物和网刊。素以文笔精炼，文章高雅著称。应邀为多部书籍作序或跋。

闻达，本名周浩，生于 1957 年。为中国写作协会会员、中国微型诗社会员、营口市诗词学会顾问。出版了两本书《墨迹飘香——名人手迹品读》、《体悟人生——闻达诗集》，有 30 多万字养生、收藏、诗歌、散文在广播、报纸、网络发表。另有四部书稿待出版。诗观：刻写灵光一现的瞬间

X

項美靜，出生杭州，成长于湖州。汉语言文学专业毕业。2001 年迄今，长期旅居台北。作品常見中國、新加坡、美國、菲律賓以及台灣、香港地區等詩刊雜誌。著有诗集《與文字談一場戀愛》《蟬聲》《謫仙》。

小乙，本名：张宇新，60 年出生，退休教师。辽宁省作家协会会员。偶有诗歌散文见于报刊的一枚草根。诗观：心乃诗之泉，诗为心之声。

行走江南，本名张南，70 后，河南罗山人，现居浙江义乌。中国微型诗社会员，《中国微型诗》期刊编委。在《散文选刊》《散文诗世界》等期刊上发表过作品。近年热爱微型诗创作及赏评。

徐国强，原籍福建晋江。早年修读理工，惟爱好文学。1978 年移居香港。已退休。现为香港作家联会永久会员、香港中华文化总会副理事长、香港文联副理事长、

香港文学促进协会常务副理事长、香港国际当代华文诗歌研究会顾问、香港书评家协会荣誉会长等。作品散见于中外报刊杂志。出版有散文、诗歌、书评合集《昨夜西风》《燃烧的凤凰木》《徐国强短诗选》《千里关山千里梦》等六部。

徐庆春，50后，居深圳。退休后写点分行文字。出身农民，不喜欢养花，喜欢栽刺。喜欢每天有一点点小刺痛地活着。诗观：好诗，不是写出来的，它原来就在那里。

徐英才，大学教师、翻译家、诗人。他曾在中国复旦大学、加拿大麦克马斯特大学、美国德堡大学任教。他出版过十多本书籍，有译著、诗论、诗集等。译著有被当作国礼送往国外的，有被用作大学教材的。他最近出版的《中国三行诗理论与技巧》为中国三行诗事业奠定了理论基础，提供了实践范例。他是华人诗学会的创办人与会长，汉英双语纸质诗刊《诗殿堂》的创办人与总编。

Y

雅诗兰，旅居日本。国际当代中国诗歌研究会研究员，《五大洲中国文艺》副主编，《海外华英》编审。

幽兰、女，阚力萍，中国散文家、河北作协会员、《青年文学》特约记者。中国微型诗主编，副社长。在海内外 40 多家报刊发表诗文，市级以上征文多次获一、二、三等奖。有散文获澳洲彩虹鹦国际作家协会 07 晋级菊花奖。2020 第一届"千家诗"全国诗歌大赛获特等奖。著有《兰香悠悠》散文集，微型诗诗集《兰韵清影》等四书。

Z

张玉杰，署名冰凌，濮阳市作家协会会员，濮阳市文学评论学会副会长，山东省青年诗人协会会员，中国微型诗社副社长。诗歌与评论文章散见国内诸多报刊。2014 年曾荣获全国独家《关雎爱情诗》年度诗评奖。

张宇新，笔名小乙，男，教师。辽宁省作家协会会员。在《央视新闻》《时代文学》《锦州日报》《葫芦岛日报》《鄂州周刊》《新职教》《辽宁教育信息》《悦读》《中国小诗》《中国微型诗》《诗中国》《关雎爱情诗》《大秦诗刊》《华夏微型诗》《义州报》《锦州教育报》《渤海文艺》《辽西风》《宁远文学》《古城文艺》《教师文学》《国家禁毒诗选》《当代文学精品选》《黄浦江文艺》《格律体新诗》《阅读》《西部文学》《连山文艺》《牛河梁》《诗海潮》《长江诗歌报》《陕北诗报》《微型诗选刊》《嫘祖文艺》《嫘祖文化》《诗中国》等百余家报刊及电台等发表作品。

郑军科：生于陕西岐山，工作于陕西麟游，因心向自由，**无拘无束**，故称岐麟散人，既不忘根，又不失本，麟游县作家协会会员。有多篇微诗在各家平台刊发，现为

《微型诗选刊》编委，担任《华夏微诗社》、《东方微诗社》、《麒麟风》等多家诗社诗评人员。诗观:用朴素的语言记录生活的点点滴滴，让生活多姿多彩。

周粲，原名周国灿,新加坡著名诗人,曾任教育部专科视学及教育学院中文系讲师,新加坡课程发展署的华文专科顾问.他的诗集《写给孩子们的诗》,《捕萤人》分别于 1967 年和 1980 年获新加坡全国书业发展理事会颁发的"儿童文学创作奖"和"诗歌创作奖"。

周瀚，文学博士。中国作家协会会员、香港作家联会常务理事、国际当代华文诗歌研究会执行主席兼秘书长、《国际汉诗研究专刊》社长、《国际汉诗探索》及《五洲华人文艺》《五洲华人诗刊》执行社长兼总编辑等。著有诗集《灵魂，在阳光中飞舞》、《周瀚短诗选》及学术著作若干。

周运山，（笔名 流水生财），中国音乐文学学会会员，河北省文学艺术研究会会员，河北省音乐文学会员，河北省石家庄市作家协会会员，曾任河北省四大主流媒体（长城网）记者。歌词代表作《崛起的中国》《中华儿女一树花》《温暖》《接力中国》《百姓冷暖挂你心》《富平，我的家乡》《人民是根》《腾飞的雄安》等。《腾飞的雄安》荣获"喜迎北京 张家口 2022 年冬奥会"全国文化艺术人才展演金奖。